Esboço para uma teoria das emoções

Leia também na Coleção **L&PM** POCKET:

A imaginação – Jean-Paul Sartre
Sartre – Annie Cohen-Solal

Jean-Paul Sartre

Esboço para uma teoria das emoções

Tradução de Paulo Neves

www.lpm.com.br

L&PM POCKET

Coleção **L&PM** POCKET, vol. 500

Texto de acordo com a nova ortografia.

Título original: *Esquisse d'une théorie des émotions*

Primeira edição na Coleção **L&PM** POCKET: agosto de 2006
Esta reimpressão: novembro de 2024

Tradução: Paulo Neves
Capa: Ivan Pinheiro Machado. *Foto da capa*: Jean-Paul Sartre, 1951. Foto de Philippe Halsman (Magnum Photos).
Revisão: Jó Saldanha e Renato Deitos

S251e

Sartre, Jean-Paul, 1905-1980.
  Esboço para uma teoria das emoções/ Jean-Paul Sartre; tradução de Paulo Neves. – Porto Alegre: L&PM, 2024.
  96 p. ; 18 cm. – (Coleção L&PM POCKET; v.500)

  ISBN 978-85-254-1555-4

  1.Filosofia-Existencialismo-Sartre-Emoções-Ensaio. I.Título.II.Série.

CDU 141.32:616.89-008.44
616.89-008.44:141.32

Catalogação elaborada por Izabel A. Merlo, CRB 10/329.

© da tradução, L&PM Editores, 2006
A edição original foi publicada na França sob o título *Esquisse d'une théorie des émotions* por HERMANN, ÉDITEURS DES SCIENCES E DES ARTS, Paris.

Todos os direitos desta edição reservados a L&PM Editores
Rua Comendador Coruja, 314, loja 9 – Floresta – 90.220-180
Porto Alegre – RS – Brasil / Fone: 51.3225.5777

Pedidos & Depto. comercial: vendas@lpm.com.br
Fale conosco: info@lpm.com.br
www.lpm.com.br

Impresso no Brasil
Primavera de 2024

Jean-Paul Sartre
(1905-1980)

Jean-Paul Sartre nasceu em 21 de junho de 1905 em Paris, filho de Jean-Baptiste Sartre, oficial da Marinha, e Anne-Marie Schweitzer, oriunda de uma família de intelectuais alsacianos. Jean-Baptiste morreu de febre amarela quando o filho tinha quinze meses. O avô, Charles Schweitzer, um professor de alemão, introduziu o neto, ainda criança, à literatura clássica. Em 1917, Anne-Marie casou-se novamente, mas Sartre nunca aprendeu a gostar do padrasto. Mudaram-se para La Rochelle, onde Sartre viveu dos doze aos quinze anos. Em 1921, doente, foi enviado a Paris, onde sua mãe decidiu mantê-lo, para o bem da sua educação. Interessou-se por filosofia ainda adolescente. Estudou no célebre liceu Henri IV, onde fez amizade com Paul Nizan (que morreria precocemente na Segunda Guerra Mundial). Passou pelo Liceu Louis le Grand e fez os estudos superiores na École Normale Supérieure de Paris, onde formaram-se vários pensadores franceses proeminentes. Foi influenciado pelas ideias de Kant, Hegel e Heidegger. Em 1929, conheceu Simone de Beauvoir (1908-1986), futura filósofa, escritora e feminista com quem teria um relacionamento amoroso e intelectual que se tornaria célebre pelo modernismo (não eram monógamos, nunca foram formalmente casados e moraram separados a maior parte de suas vidas) e que duraria até a morte do filósofo. Ela, como Sartre, era oriunda de uma família pequeno-burguesa e rejeitava este modelo de vida. Nesse mesmo ano ele obteve o diploma de doutor em filosofia e foi recrutado pelo exército francês.

Em 1931, passou a lecionar no Liceu do Havre. Sua experiência como professor mostrou-se gratificante: era um mestre caloroso, entusiasta e dedicado; manteria uma relação próxima com a juventude durante toda a vida.

Passou um período em Berlim, de 1933 a 1934, onde completou sua educação sobre a fenomenologia de Husserl. Iniciava-se uma boa fase: publicou em 1938 *La nausée* (*A náusea*), romance sobre um professor do interior que é o manifesto literário do existencialismo, corrente filosófica segundo a qual, para Sartre, as nossas ideias são produtos de experiências da vida real, a existência precede a essência, e o homem é livre para projetar a própria vida.

Segue-se a publicação da coletânea de contos *Le mur* (*O muro*), em 1939. Com o início da guerra, Sartre foi chamado a servir no exército francês como meteorologista. Tropas alemãs capturaram-no em 1940, e ele passou nove meses na prisão. Ali escreveu sua primeira peça teatral, *Barionà, fils du tonnerre*, e a encenou para diversão dos colegas de cárcere. Foi libertado em 1941 sob alegação de má saúde. Retomou o cargo de professor no Liceu Pasteur e posteriormente no Liceu Condorcet. Ainda em 1941, foi cofundador do grupo de resistência Socialismo e Liberdade, junto com Simone de Beauvoir, Merleau-Ponty e outros. O grupo desapareceu no final do ano, após a prisão de dois dos seus membros. Em 1943, publicou *L'être et le néant* (*O ser e o nada*), sua principal obra filosófica, e a peça *Les mouches* (*As moscas*) – um fracasso de público. Em 1944, uma nova peça, *Huis clos* (*Entre quatro paredes*), obteve enorme sucesso. Ao mesmo tempo escrevia para revistas literárias, legais e clandestinas. Após a liberação de Paris, ainda em 1944, contribuiu ativamente para o periódico *Le combat* (*O combate*), fundado no período da clandestinidade por Albert Camus, filósofo e escritor que nutria ideais semelhantes aos de Sartre. Simone de Beauvoir e Sartre foram amigos íntimos de Camus até 1951, quando este publicou *Le rebel* (*O homem revoltado*) e se afastou das ideias comunistas. Após o fim da guerra, Sartre fundou, em 1945, *Les temps modernes*, uma revista mensal, publicada pela prestigiosa editora Gallimard e existente até hoje. É desse mesmo ano a palestra, posteriormente editada em livro, *L'éxistencialisme est un humanisme* (*O existencialismo é um humanismo*). Escreveu muito nesse período, principalmente *Les chemins de liberté* (*Os caminhos da liberdade*), trilogia romanesca que compreende *L'âge de la raison* (*A idade da razão*), de 1945, *Le sursis* (*Sursis*), de 1947, e *La mort dans l'âme* (*Com a morte na alma*), de 1949, na qual reflete sobre a experiência da guerra. A peça *Les mains sales* (*As mãos sujas*), de 1948, explora o conflito entre ser um intelectual e ser politicamente ativo.

Nesse ano a Igreja Católica colocou toda a obra de Sartre no índex. Embora ele nunca tenha se filiado ao Partido Comunista, abraçou o comunismo e também o stalinismo (em 1956, o ataque de tanques russos contra protestos húngaros o levou a crer que era possível um proletariado fora do partido). Foi um dos principais defensores da guerra da independência argelina (1958 a 1962), e em 1962, a Organização do Exército Secreto, que reunia partidários da presença francesa na Argélia, realizou um atentado a bomba à casa do filósofo. O trabalho mais emblemático desse período é *Critique de la raison dialectique* (*Crítica à razão dialética*), de 1960. Em 1964, Sartre despediu-se da literatura, publicando um irônico livro de memórias, *Les mots* (*As palavras*). No mesmo ano, foi laureado com o Prêmio Nobel de Literatura, que declinou receber, explicando que toda a vida recusara distinções oficiais e não poderia ir contra seus princípios. Recusara, também, uma medalha da Legião da Honra e uma cátedra no prestigiado Collège de France. Segundo ele, tais reconhecimentos o alienariam da sua liberdade de escritor, tornando-o uma instituição. Foi contra a Guerra do Vietnã; em 1966, participou da organização do tribunal Bertrand Russell, que expôs os crimes de guerra norte-americanos; envolveu-se nos protestos estudantis de Paris de 1968, apoiou a Revolução Cubana (só rompendo com Fidel Castro na década de 70) e o maoismo. Permaneceu politicamente engajado até o final da vida, emprestando seu nome a movimentos de esquerda e organizando debates de intelectuais engajados.

Desde a década de 60 sua saúde deteriorava-se devido ao excesso de trabalho e ao consumo de álcool, tabaco e anfetaminas. A partir dos 67 anos, começou a ter problemas de visão e contratou um secretário, Bernard Lévy. No final da vida, interessou-se pelo conflito israelense-palestino: era a favor do estado de Israel, mas chamava atenção para as condições de vida dos palestinos, pregando a negociação pacífica. Embora tenha sempre recusado honrarias, em 1976 aceitou o título de doutor *honoris causa* da Universidade de Jerusalém. Ao morrer, em 15 de abril de 1980, de edema pulmonar, trabalhava em um grande ensaio sobre Flaubert, *L'Idiot de la famille* (*O idiota da família*). Mais de cinquenta mil pessoas estiveram presentes no seu funeral.

Outras obras suas: *L'imagination* (*A imaginação*), 1936; *La transcendence de l'égo* (*A transcendência do ego*), 1937; *Esquisse pour une théorie des émotions* (*Esboço para uma teoria das emoções*), 1939; *L'imaginaire* (*O imaginário*), 1940; *Refléxions sur la question juive* (*Reflexões sobre a questão judia*), 1943; *Morts sans sépulture* (*Mortos sem sepultura*), 1946; *La putain respectueuse* (*A prostituta respeitosa*), 1946; *Qu'est-ce que la littérature* (*O que é literatura?*), 1947; *Baudelaire*, 1947; *Situations* (dez volumes de crítica literária, publicados de 1947 a 1976), *Le diable et le bon dieu* (1951), *Les jeux sont faits* (*Os dados estão lançados*), 1952; *Saint Genet, actor et martyr* (*Saint Genet, ator e mártir*), 1952; *Les séquestrés d'Altona* (*Os sequestrados de Altona*), 1959; *Cahiers pour une morale* (*Cadernos para uma moral*), 1983, e *Les carnets de la drôle de guerre* (*Diário de uma guerra estranha*), 1984.

Sumário

Introdução / 13

I. As teorias clássicas / 31

II. A teoria psicanalítica / 47

III. Esboço de uma teoria fenomenológica / 55

Conclusão / 91

Introdução

Psicologia, fenomenologia e psicologia fenomenológica

A psicologia é uma disciplina que pretende ser positiva, isto é, quer obter seus recursos exclusivamente da experiência. Certamente não estamos mais no tempo dos associacionistas, e os psicólogos contemporâneos não se proíbem de *interrogar* e de *interpretar*. Mas eles querem estar diante de seu objeto como o físico diante do dele. Além disso, é preciso limitar esse conceito de experiência, quando se fala da psicologia contemporânea, pois afinal pode haver uma quantidade de experiências diversas e, por exemplo, pode-se ter que decidir se existe ou não uma experiência das essências ou dos valores, ou uma experiência religiosa. O psicólogo entende utilizar apenas dois tipos de experiência bem definidos: a que nos fornece a percepção espaçotemporal dos corpos organizados, e o conhecimento intuitivo de nós mesmos que chamamos experiência reflexiva. Se há entre os psicólogos debates de método, eles têm por objeto quase unicamente o seguinte problema: esses dois tipos de informação são complementares? Deve-se subordinar um ao outro ou convém descartar decididamente um deles? Mas eles estão de acordo quanto a um princípio essencial: a investigação deve partir antes de tudo dos *fatos*. Se nos perguntarmos o que é um fato, vemos que ele se define como algo que se deve *encontrar* no curso de uma pesquisa, e que se apresenta sempre como um enriquecimento inesperado e uma novidade em relação aos fatos anteriores. Portanto, não se deve esperar dos fatos que eles se organizem por si mesmos numa totalidade sintética que forneceria por si mesma sua significação. Em outras palavras, se é chamada antropologia uma disciplina que visaria a definir a essência do homem e a condição humana, a psicologia – mesmo a psicologia do homem – não é e nunca será uma antropologia. Ela não quer definir e limitar *a priori* o objeto de sua pesquisa. A noção de homem que ela aceita é inteiramente empírica: há no mundo um certo número de criaturas que oferecem à experiência caracteres análogos. Aliás, outras ciências, a sociologia e a fisiologia, nos ensinam que existem certas ligações objetivas entre essas criaturas. Não é preciso mais para que o psicólogo, com prudência e a título de hipótese de trabalho, aceite limitar provisoriamente suas pesquisas a esse grupo de criaturas. Com efeito, os meios de informação de que se dispõe sobre elas são mais facilmente acessíveis porque elas vivem em sociedade, possuem uma linguagem e deixam testemunhos. Mas o psicólogo não se compromete: ele ignora se a noção de homem não é arbitrária. Ela pode ser *muito vasta*:

nada diz que o primitivo australiano pode ser incluído na mesma classe psicológica que o operário americano de 1939. Ela pode ser *muito estreita*: nada diz que um abismo separa os macacos superiores de uma criatura humana. Seja como for, o psicólogo proíbe-se rigorosamente de considerar os homens que o cercam como *seus semelhantes*. Essa noção de similitude, a partir da qual se poderia talvez construir uma antropologia, lhe parece irrisória e perigosa. Ele admitirá facilmente, com as reservas feitas mais adiante, que ele é *um* homem, isto é, que faz parte da classe provisoriamente isolada. Mas considerará que esse caráter de homem lhe deve ser conferido *a posteriori*, e que ele não pode, enquanto membro dessa classe, ser um objeto de estudo privilegiado, salvo para a comodidade das experiências. Assim ele ficará sabendo *pelos outros* que é homem, e sua natureza de homem não lhe será revelada de modo particular sob pretexto de que ele mesmo *é* aquilo que estuda. A introspecção não fornecerá aqui, como lá a experimentação "objetiva", senão fatos. Se deve haver mais tarde um conceito rigoroso de *homem* – e isso mesmo é duvidoso –, esse conceito só pode ser considerado como coroamento de uma ciência acabada, isto é, ele é remetido ao infinito. Ainda assim seria apenas uma hipótese unificadora inventada para coordenar e hierarquizar a coleção infinita dos fatos trazidos à luz. Vale dizer que a ideia de homem, se porventura tiver um sentido positivo, será somente uma conjetura para estabelecer conexões entre materiais discordantes, e que só obterá verossimilhança de seu êxito. Pierce definia a hipótese: a soma dos resultados experimentais que ela permite prever. Assim a ideia de homem não poderá ser senão a soma dos fatos constatados que ela permite unir. Se alguns psicólogos usassem uma certa concepção do homem *antes* que essa síntese última fosse possível, isto só seria possível a título rigorosamente pessoal e como fio condutor ou, melhor, como ideia no sentido kantiano, e o primeiro dever deles seria jamais perder de vista que se trata de um conceito regulador.

Resulta de tantas precauções que a psicologia, na medida em que se pretende uma ciência, não pode fornecer senão uma soma de fatos heteróclitos, a maior parte dos quais não tem nenhuma ligação entre si. Que há de mais diferente, por exemplo, que o estudo da ilusão estroboscópica e o do complexo de inferioridade? Essa desordem não vem do acaso, mas dos princípios mesmos da ciência psicológica. Esperar o *fato* é, por definição, esperar o isolado, é preferir, por positivismo, o acidente ao essencial, o contingente ao necessário, a desordem à ordem; é transferir ao futuro, por princípio, o essencial: "é para mais tarde, quando tivermos reunido um grande número de fatos". Os psicólogos não se dão conta, com efeito, de que é tão impossível atingir a essência amontoando os acidentes quanto chegar à unidade acrescentando indefinidamente algarismos à direita de 0,99. Se eles tiverem por meta apenas acumular conhecimentos de detalhe, não há nada a dizer; simplesmente não se percebe o interesse desses trabalhos de colecionador. Mas se estiverem animados, em sua modéstia, pela esperança, louvável em si, de que com base em suas monografias se realizará mais tarde uma síntese antropológica, estarão em plena contradição consigo mesmos. Dir-se-á que esse é precisamente o método e a ambição das ciências da natureza. A isso cabe responder que as ciências da natureza não visam a conhecer *o mundo*, mas as condições de possibilidade de certos fenômenos gerais. Há muito essa noção de *mundo* se dissipou sob a crítica dos metodologistas, e isto precisamente porque não se poderia ao mesmo tempo aplicar os métodos das ciências positivas e esperar que eles conduzam um dia a descobrir o sentido dessa totalidade sintética que chamam *mundo*. Ora, o *homem* é um ser do mesmo tipo que o *mundo*, é mesmo possível, como acredita Heidegger, que as noções de mundo e de "realidade-humana" (*Dasein*) sejam inseparáveis. Precisamente por isso a psicologia deve resignar-se a não alcançar a realidade-humana, se é que essa realidade-humana existe.

Aplicados a um exemplo particular, o estudo das emoções, por exemplo, o que vão produzir os princípios e os métodos do psicólogo? Em primeiro lugar, nosso conhecimento da emoção se acrescentará *de fora* aos outros conhecimentos sobre o ser psíquico. A emoção se apresentará como uma novidade irredutível em relação aos fenômenos de atenção, de memória, de percepção etc. De fato, podemos inspecionar esses fenômenos e a noção empírica que fazemos deles de acordo com os psicólogos, girá-los e tornar a girá-los à vontade, e não descobriremos a menor ligação essencial com a emoção. Todavia o psicólogo admite que o homem tem emoções porque a experiência lhe ensina isso. Assim a emoção é, primeiramente e por princípio, um *acidente*. Nos tratados de psicologia, ela é o objeto de um capítulo depois de outros capítulos, como o cálcio, nos tratados de química, depois do hidrogênio ou do enxofre. Quanto a estudar as condições de possibilidade de uma emoção, isto é, quanto a perguntar se a estrutura mesma da realidade humana torna as emoções possíveis e *como* as torna possíveis, isso pareceria ao psicólogo uma inutilidade e um absurdo: de que serve investigar se a emoção é possível, já que precisamente ela *é*? É à experiência, igualmente, que o psicólogo se dirigirá para estabelecer os limites dos fenômenos emotivos e sua definição. Na verdade, poderia perceber-se aqui que ele já tem uma *ideia* da emoção, uma vez que, após a inspeção dos fatos, traçará uma linha de demarcação entre os fatos de emoção e os que não são tais: com efeito, como poderia a experiência fornecer-lhe um princípio de demarcação se ele já não o tivesse? Mas o psicólogo prefere ater-se à crença de que os fatos se agruparam por si mesmos sob seu olhar. Trata-se agora de *estudar* essas emoções que se acaba de isolar. Para isso se concordará em realizar situações emocionantes ou dirigir-se àqueles sujeitos particularmente emotivos que a patologia nos oferece. Procuraremos então determinar os fatores desse estado complexo, isolaremos as *reações corporais*, que aliás poderemos estabelecer com a maior precisão, as *condutas* e o *estado de consciência* propriamente dito. A partir daí poderemos formular nossas leis e propor nossas explicações, isto é, tentaremos ligar esses três tipos de fatores numa ordem irreversível. Se sou partidário da teoria intelectualista, por exemplo, estabelecerei uma sucessão constante e irreversível entre o estado íntimo considerado como antecedente e os distúrbios fisiológicos considerados como consequentes. Se, ao contrário, com os partidários da teoria periférica, penso que "uma mãe está triste porque ela chora", limitar-me-ei, no fundo, a inverter a ordem dos fatores. O que é certo, em todo caso, é que não buscarei a explicação ou as leis da emoção em estruturas gerais e essenciais da realidade humana, mas sim *nos processos da própria emoção*, de modo que, mesmo devidamente descrita e explicada, ela nunca será senão um fato entre outros, um fato fechado em si que nunca permitirá compreender outra coisa senão ele, nem captar, através dele, a realidade essencial do homem.

Foi por reação contra as insuficiências da psicologia e do psicologismo que se constituiu, há cerca de trinta anos, uma disciplina nova, a fenomenologia. Seu fundador, Husserl, foi tocado inicialmente por esta verdade: há incomensurabilidade entre as essências e os fatos, e quem começa sua investigação pelos fatos nunca conseguirá recuperar as essências. Se busco os fatos psíquicos que estão na base da atitude aritmética do homem que conta e que calcula, nunca conseguirei reconstituir as essências aritméticas de unidade, de número e de operações. Sem no entanto renunciar à ideia de experiência (o princípio da fenomenologia é ir "às coisas mesmas", e a base de seu método é a intuição eidética), é preciso, pelo menos, flexibilizá-la e dar um lugar à experiência das essências e dos valores; é preciso inclusive reconhecer que somente as essências permitem classificar e inspecionar os fatos. Se não recorrêssemos implicitamente à essência da emoção, ser-nos-ia impossível distinguir, em meio à massa dos fatos psíquicos, o grupo particular dos fatos da emotividade. Assim a fenomenologia prescreverá, já que afinal recorremos implicitamente à essência da emoção, fazer um recurso explícito a ela e fixar de uma vez por todas, por conceitos, o conteúdo dessa essência. Compreende-se bem que, por ela, a ideia de homem não poderia tampouco ser um conceito empírico, produto de generalizações históricas, mas que temos necessidade de utilizar, sem dizê-lo, a essência *"a priori" de ser humano* para dar uma base um pouco sólida às generalizações do psicólogo. Mas além disso, a psicologia, considerada como ciência de certos fatos humanos, não poderia ser um começo, porque os fatos psíquicos com os quais deparamos nunca são primeiros. Eles são, em sua estrutura essencial, reações do homem contra o mundo; portanto, supõem o homem e o mundo, e só podem adquirir seu sentido verdadeiro se inicialmente elucidamos essas duas noções. Se quisermos fundar uma psicologia, teremos que remontar mais acima que o psíquico, mais acima que a situação do homem no mundo, até a origem do homem, do mundo e do psíquico: a consciência transcendental e constitutiva que atingimos pela "redução fenomenológica" ou "colocação do mundo entre parênteses". É essa consciência que se deve interrogar, e o que dá valor a suas respostas é que ela é precisamente *minha*. Assim Husserl sabe tirar partido dessa proximidade absoluta da consciência em relação a si mesma, da qual o psicólogo não quis se servir. Tira partido dela conscientemente e com total segurança, já que toda consciência existe na medida exata em que é consciência de existir. Mas, aqui como mais acima, ele se recusa a interrogar a consciência sobre *fatos*: reencontraríamos no plano transcendental a desordem da psicologia. O que ele vai tentar descrever e fixar por conceitos são precisamente as essências que presidem ao desenrolar do campo transcendental. Haverá então, por exemplo, uma fenomenologia da emoção que, após ter "colocado o mundo entre parênteses", estudará a emoção como fenômeno transcendental puro, e isto se dirigindo não a emoções particulares, mas buscando atingir e elucidar a essência transcendental da emoção como tipo organizado de consciência. É igualmente dessa proximidade absoluta do investigador e do objeto investigado que partirá um outro fenomenólogo, Heidegger. O que diferenciará toda pesquisa sobre o homem dos outros tipos de questões rigorosas é precisamente este fato privilegiado de que a realidade humana é *nós mesmos*: "O existente do qual devemos fazer a análise", escreve Heidegger, "é nós mesmos. O ser desse existente é *meu*".[1] Ora, não é indiferente que essa realidade humana seja *eu*, porque, precisamente para a realidade humana, existir é sempre *assumir* seu ser, isto é, ser responsável por ele em vez de recebê-lo de fora como faz uma pedra. E, como a "realidade humana é por essência sua própria possibilidade, esse existente pode 'escolher-se' ele próprio em seu ser, pode ganhar-se, perder-se".[2] Essa "assunção" de si que caracteriza a realidade humana implica uma compreensão da

---

1. *Sein und Zeit.*, p. 41.
2. Ibid., p. 41.

realidade humana por ela mesma, por obscura que seja essa compreensão. "No ser desse existente, este se relaciona ele próprio com seu ser."[3] É que, de fato, a compreensão não é uma qualidade vinda de fora à realidade humana, é sua maneira própria de existir. Assim, a realidade humana que é *eu* assume seu próprio ser ao compreendê-lo. Essa compreensão é a minha. Portanto, sou antes de qualquer coisa um ser que compreende mais ou menos obscuramente sua realidade de homem, o que significa que me faço homem ao compreender-me como tal. Posso então me interrogar e, sobre as bases dessa interrogação, levar a cabo uma análise da "realidade-humana", que poderá servir de fundamento a uma antropologia. Aqui tampouco, naturalmente, não se trata de introspecção, primeiro porque a introspecção só depara com o fato, depois porque minha compreensão da realidade humana é obscura e inautêntica. Ela deve ser explicitada e corrigida. Em todo caso, a hermenêutica da existência vai poder fundar uma antropologia e essa antropologia servirá de base a toda psicologia. Assim estamos na situação inversa da dos psicólogos, uma vez que *partimos* dessa totalidade sintética que é o homem e estabelecemos a essência do homem *antes* de estrear em psicologia.

De todo modo, a fenomenologia é o estudo dos fenômenos – não dos fatos. E por fenômeno con-

---

3. Ibid., p. 43.

vém entender "o que denuncia a si mesmo", aquilo cuja realidade é precisamente a aparência. "E essa 'denúncia de si' não é uma denúncia qualquer... o ser do existente não é algo 'atrás do qual' há ainda alguma coisa que não aparece".[4] De fato, existir, para a realidade-humana, é, segundo Heidegger, assumir seu próprio ser num modo existencial de compreensão; *existir*, para a consciência, é *aparecer a si mesma*, segundo Husserl. Já que a aparência é aqui o absoluto, é a aparência que deve ser descrita e interrogada. Desse ponto de vista, em cada atitude humana – por exemplo na emoção, pois falávamos dela há pouco – Heidegger pensa que reencontraremos o todo da realidade-humana, pois a emoção é a realidade-humana que se assume ela própria e se "dirige-comove" para o mundo. Husserl, por sua vez, pensa que uma descrição fenomenológica da emoção trará à luz as estruturas essenciais da consciência, pois uma emoção é precisamente uma consciência. E, reciprocamente, colocar-se-á um problema que o psicólogo nem sequer suspeita: pode-se conceber consciências que não comportariam a emoção em suas possibilidades, ou devemos ver nela uma estrutura indispensável da consciência? Assim o fenomenólogo interrogará a emoção *sobre a consciência* ou *sobre o homem*, perguntar-lhe-á não apenas o que ela é, mas o que tem a nos ensinar sobre um ser do qual uma das

---

4. Ibid., p. 35-36.

características é justamente ser capaz de se emocionar. E, inversamente, interrogará a consciência, a realidade humana sobre a emoção: o que deve ser então uma consciência para que a emoção seja possível, talvez até para que seja necessária?

Podemos compreender, agora, as razões da desconfiança do psicólogo em relação à fenomenologia. Com efeito, a precaução inicial do psicólogo consiste em considerar o estado psíquico de modo a lhe retirar qualquer *significação*. Para ele, o estado psíquico é sempre um *fato* e, como tal, sempre acidental. Esse caráter acidental é mesmo aquilo que o psicólogo mais preza. Se perguntarmos a um cientista: por que os corpos se atraem segundo a Lei de Newton?, ele responderá: não me interessa saber; é porque é assim. E se lhe perguntarmos: e o que essa atração *significa*?, ele responderá: não significa nada, ela é. Do mesmo modo o psicólogo, interrogado sobre a emoção, tem muito orgulho de responder: "ela é; por quê? Não me interessa saber, simplesmente constato. Não sei de nenhuma significação". Ao contrário, para o fenomenólogo, todo fato humano é por essência significativo. Se lhe retirarmos a significação, lhe retiramos sua natureza de fato humano. A tarefa de um fenomenólogo será, pois, estudar a significação da emoção. O que se deve entender por isso?

Significar é indicar outra coisa; e indicá-la de tal modo que, ao desenvolver a significação, se encontrará precisamente o significado. Para o psicólogo a emoção nada significa porque ele a estuda como fato, isto é, separando-a de todo o resto. Portanto, ela será desde a origem não significante; mas se realmente todo fato humano é significante, a emoção para o psicólogo é, por natureza, morta, não psíquica, inumana. Se quisermos fazer da emoção, à maneira dos fenomenólogos, um verdadeiro fenômeno de consciência, será preciso, ao contrário, considerá-la como significante antes de mais nada. Vale dizer que afirmaremos que ela *é* na estrita medida em que significa. Não nos perderemos de início no estudo dos fatos fisiológicos porque, precisamente, tomados neles mesmos e isoladamente, não significam *quase* nada: eles são, eis tudo. Ao contrário, ao desenvolver a significação das condutas e da consciência emocionada, tentaremos explicitar o significado. Esse significado, sabemos desde a origem o que ele é: a emoção significa *à sua maneira* o todo da consciência ou, se nos colocarmos no plano existencial, da realidade-humana. Ela não é um acidente porque a realidade-humana não é uma soma de fatos; ela exprime sob um aspecto definido a totalidade sintética humana em sua integridade. E por isto não se deve entender que ela é o *efeito* da realidade-humana. Ela é essa realidade-humana ela própria realizando-se sob a forma "emoção". Sendo assim, é impossível considerar a emoção como uma desordem psicofisiológica. Ela tem sua essência, suas estruturas particulares, suas leis de aparecimento, sua significação. Ela não poderia vir *de fora* à realidade-humana. Ao contrário, é o homem que *assume* sua emoção e, por conseguinte, a emoção é uma forma organizada da existência humana.

Não é nossa intenção tentar aqui um estudo fenomenológico da emoção. Esse estudo, se devesse ser esboçado, teria por objeto a afetividade como modo existencial da realidade-humana. Mas nossas ambições são mais limitadas. Gostaríamos de ver, num caso preciso e concreto, o da emoção, justamente se a psicologia pura pode obter um método e ensinamentos da fenomenologia. Permanecemos de acordo que a psicologia não coloca o homem em questão nem o mundo entre parênteses. Ela toma o homem no mundo, tal como ele se apresenta através de inúmeras situações: no café, em família, na guerra. De uma maneira geral, o que a interessa é o *homem em situação*. Enquanto tal, ela está subordinada, como vimos, à fenomenologia, já que o estudo verdadeiramente positivo do homem em situação deveria primeiro ter elucidado as noções de homem, de mundo, de ser-no-mundo, de situação. Mas, enfim, a fenomenologia mal acabou de nascer, e todas essas noções estão muito longe de sua elucidação definitiva. Deve a psicologia esperar que a fenomenologia tenha chegado à maturidade? Não pensamos assim. Mas, embora não espere a constituição definitiva de uma antropologia, ela não deve perder de vista que essa antropologia é realizável e que, se um dia for realizada, todas as disciplinas psicológicas deverão buscar nela sua fonte. Por enquanto ela não deve tanto visar à coleta de fatos quanto interrogar os *fenômenos*, ou seja, precisamente os acontecimentos psíquicos na medida em que estes são significações, e não na medida em que são fatos puros. Por exemplo, ela reconhecerá que a emoção *não existe* enquanto fenômeno corporal, pois um corpo não pode ser emocionado, por não poder conferir um sentido a suas próprias manifestações. Ela buscará imediatamente algo além dos distúrbios vasculares ou respiratórios, esse algo além sendo o *sentido* da alegria ou da tristeza. Mas como esse sentido não é precisamente uma qualidade colocada do exterior sobre a alegria ou a tristeza, como ele só existe na medida em que aparece, isto é, em que é "assumido" pela realidade-humana, é a consciência mesma que ela interrogará, pois a alegria só é alegria na medida em que aparece como tal. E, precisamente porque não busca os fatos mas as significações, ela abandonará os métodos de introspecção indutiva ou de observação empírica externa, para procurar apenas captar e fixar a essência dos fenômenos. Portanto, ela também se oferecerá como uma ciência eidética. Só que, através do fenômeno psíquico, não visará ao *significado* enquanto tal, isto é, precisamente a totalidade humana. Ela não dispõe dos meios suficientes para tentar esse estudo. O que a interessará é somente o fenômeno *enquanto ele significa*. Do mesmo modo, posso buscar compreender a essência do "proletariado" através da palavra "proletariado". Nesse caso farei sociologia. Mas o linguista estuda a palavra proletariado *enquanto ela significa proletariado,* e se inquietará com as vicissitudes da palavra enquanto portadora de significação. Uma tal ciência é perfeitamente possível.

O que lhe falta para ser real? Ter feito suas provas. Mostramos que, se a realidade humana aparece ao psicólogo como uma coleção de dados heteróclitos, é que o psicólogo se colocou voluntariamente no terreno em que essa realidade devia aparecer-lhe como tal. Mas isso não implica necessariamente que a realidade-humana seja apenas uma coleção. O que provamos é somente que ela não *pode* aparecer de outro modo ao psicólogo. Resta saber se ela suporta em seu fundo uma investigação fenomenológica, isto é, se a emoção, por exemplo, é verdadeiramente um fenômeno significante. Para passar isso a limpo, existe apenas um meio, aquele, aliás, que o fenomenólogo preconiza: "ir às coisas mesmas". Que aceitem considerar as páginas a seguir como uma *experiência* de psicologia fenomenológica. Vamos tentar nos colocar no terreno da significação e tratar a emoção como *fenômeno*.

I. As teorias clássicas

Sabe-se todas as críticas que a teoria periférica das emoções suscitou. Como explicar as emoções finas? A alegria passiva? Como admitir que reações orgânicas banais possam justificar estados psíquicos qualificados? De que maneira modificações quantitativas e, por isso mesmo, quase contínuas nas funções vegetativas podem corresponder a uma série qualitativa de estados irredutíveis entre si? Por exemplo, as modificações fisiológicas que correspondem à cólera não diferem senão pela intensidade das que correspondem à alegria (ritmo respiratório um pouco acelerado, ligeiro aumento do tônus muscular, crescimento das trocas bioquímicas, da tensão arterial etc.): no entanto a cólera não é uma alegria mais intensa, é outra coisa, pelo menos na medida em que se oferece à consciência. De nada serviria mostrar na alegria uma excitação que predispõe à cólera, citar os idiotas que passam continuamente (por exemplo, ao se balançarem num banco e ao acelerarem seu balanço) da alegria à cólera. O idiota que está em cólera não está "superalegre". Mesmo se ele *passou* da alegria à cólera (e nada permite afirmar que não houve nesse meio tempo a intervenção de uma série de eventos psíquicos), a cólera é irredutível à alegria.

Parece-me que o fundo comum a todas essas objeções poderia resumir-se assim: W. James distingue na emoção dois grupos de fenômenos: um grupo de fenômenos fisiológicos e um grupo de fenômenos psicológicos que chamaremos, com ele, o *estado* de consciência; o essencial de sua tese é que o estado de consciência dito "alegria, cólera etc." não é senão a consciência *das* manifestações fisiológicas, a projeção delas na consciência, se quiserem. Ora, todos os críticos de James, examinando sucessivamente "o estado" de consciência "emoção" e as manifestações fisiológicas concomitantes, não *reconhecem* naquele a projeção, a sombra produzida por estas. Eles encontram nesse estado *mais* e – estejam claramente conscientes disso ou não – *outra coisa*. *Mais*: mesmo levando ao extremo, em imaginação, as desordens do corpo, não se poderia compreender por que a consciência correspondente seria consciência *aterrorizada*. O terror é um estado extremamente penoso, até insuportável, e é inconcebível que um estado corporal percebido por ele mesmo e nele mesmo apareça à consciência com esse caráter atroz. *Outra coisa*: é que, de fato, mesmo se a emoção, objetivamente percebida, se apresentasse como uma desordem fisiológica, enquanto fato de consciência ela não é de modo nenhum desordem nem puro caos, ela tem um sentido, significa alguma coisa. E com isso não queremos dizer apenas que ela se dá como uma qualidade pura, mas que se apresenta como uma certa relação de nosso ser psíquico com o mundo; e essa relação – ou melhor, a consciência que temos dela – não é uma ligação caótica entre o eu e o universo; é uma estrutura organizada e descritível.

Não vejo que a sensibilidade corticotalâmica, recentemente inventada pelos mesmos que fazem essas críticas a James, permita uma resposta satisfatória à questão. Primeiro, porque a teoria de James tinha uma grande vantagem: ela levava em conta apenas distúrbios fisiológicos direta ou indiretamente reveláveis. A teoria da sensibilidade cerebral recorre a um distúrbio cortical inverificável. Sherrington fez experiências com cães e pode-se louvar, certamente, sua destreza de operador. Mas essas experiências, tomadas nelas mesmas, não provam *absolutamente* nada. De que uma *cabeça de cão* praticamente isolada do corpo produza ainda sinais de emoção, não vejo que se tenha o direito de concluir que o *cão* experimente uma emoção completa. Além disso, mesmo supondo que a existência de uma sensibilidade corticotalâmica fosse estabelecida, seria preciso colocar novamente a questão preliminar: será que um distúrbio fisiológico, *qualquer que seja*, pode explicar o caráter *organizado* da emoção?

É o que Janet compreendeu muito bem, mas exprimiu sem muita felicidade quando disse que

James, em sua descrição da emoção, tinha esquecido o psíquico. Colocando-se num terreno exclusivamente objetivo, Janet quer registrar apenas as manifestações exteriores da emoção. Mas, mesmo considerando apenas os fenômenos orgânicos que se pode descrever e revelar do exterior, ele julga que tais fenômenos são imediatamente suscetíveis de ser classificados em duas categorias: os fenômenos psíquicos ou condutas, os fenômenos fisiológicos. Uma teoria da emoção que quisesse restituir ao psíquico sua parte preponderante deveria fazer da emoção uma conduta. Mas Janet é sensível como James, apesar de tudo, à aparência de desordem que toda emoção apresenta. Então ele faz da emoção uma conduta menos bem adaptada, ou, se preferirem, uma conduta de desadaptação, uma conduta de fracasso. Quando a tarefa é muito difícil e não podemos manter a conduta superior que se adaptaria a ela, a energia psíquica liberada se consome por outro caminho: seguimos uma conduta inferior, que exige uma tensão psicológica menor. Eis o caso, por exemplo, de uma moça a quem o pai acaba de dizer que sente dores no braço e que teme a paralisia. Ela cai no chão acometida de uma violenta emoção, que se repete alguns dias mais tarde com a mesma violência, obrigando-a finalmente a reclamar cuidados médicos. Durante o tratamento, ela confessa que a ideia de cuidar do pai e de levar uma vida austera de enfermeira lhe parecera subitamente insuportável. A emoção representa aqui, portanto, uma conduta de fracasso, é a substituição da "conduta-de-enfermeira-que-não-pode-ser-cumprida". Do mesmo modo, em seu livro sobre *L'Obsession et la Psychasthénie* [*A obsessão e a psicastenia*], Janet cita o caso de vários doentes que, vindos a ele para se confessar, não conseguem levar a cabo sua confissão e acabam desatando em soluços, às vezes tendo mesmo uma crise nervosa. O choro e a crise de nervos representam uma conduta de fracasso que substitui a primeira por derivação. Não é necessário insistir, os exemplos são inúmeros. Quem não se lembra de ter trocado zombarias com um colega, de ter permanecido calmo enquanto a situação parecia igual, e de ter-se irritado no momento preciso em que não encontrou mais nada para responder? Assim Janet pode se orgulhar de ter reintegrado o psíquico na emoção: a consciência que temos da emoção – consciência, aliás, que aqui é apenas um fenômeno secundário[5] – não é mais o simples correlato de distúrbios fisiológicos: é a consciência de um fracasso e de uma conduta de fracasso. A teoria parece sedutora: ela é realmente uma tese *psicológica* e permanece de uma simplicidade inteiramente mecânica. O fenômeno de derivação é nada mais que uma mudança de caminho para a energia nervosa liberada.

No entanto, quantas obscuridades nessas poucas

---

5. Mas não um epifenômeno: a consciência é conduta das condutas.

noções, aparentemente tão claras! Examinando melhor as coisas, percebe-se que Janet só consegue ultrapassar James ao servir-se implicitamente de uma finalidade que sua teoria explicitamente rejeita. Com efeito, o que é uma conduta de fracasso? Devemos entender como tal apenas o substituto automático de uma conduta superior que não podemos cumprir? Nesse caso, a energia nervosa seria descarregada ao acaso e segundo a lei do menor esforço. Mas com isso o conjunto das reações emotivas seria menos uma conduta de fracasso do que uma ausência de conduta. Haveria uma reação orgânica difusa, uma desordem, em lugar de uma reação adaptada. Mas não é precisamente isso o que diz James? Não intervém a emoção, para ele, no momento de uma desadaptação brusca, e não consiste ela essencialmente no conjunto de desordens que essa desadaptação produz no organismo? Certamente Janet põe o acento, mais que James, no *fracasso*. Mas o que se deve entender por isso? Se considerarmos objetivamente o indivíduo como um sistema de condutas, e se a derivação se faz automaticamente, o fracasso é nada, ele não existe, há simplesmente substituição de uma conduta por um conjunto difuso de manifestações orgânicas. Para que a emoção tenha a significação psíquica de fracasso, é preciso que a consciência intervenha e lhe confira essa significação, é preciso que ela retenha como possível a conduta superior e que perceba a emoção precisamente como um fracasso *em relação* a essa conduta superior. Mas isto seria dar à consciência um papel constitutivo, o que Janet não quer de modo algum. Se quiséssemos conservar um sentido à teoria de Janet, seríamos logicamente conduzidos a adotar a posição de H. Wallon. Num artigo da *Revue des Cours et Conférences*, Wallon propõe esta interpretação: existiria um circuito nervoso primitivo, na criança. O conjunto das reações de um recém-nascido às cócegas, à dor etc. seria sempre comandado por esse circuito (arrepios, contrações musculares difusas, acelerações do ritmo cardíaco etc.) e constituiria assim uma primeira adaptação orgânica, adaptação herdada, naturalmente. Na continuação, aprenderíamos condutas e realizaríamos montagens novas, isto é, novos circuitos. Mas quando, numa situação nova e difícil, não soubéssemos encontrar a conduta adaptada que lhe convém, haveria um retorno ao circuito nervoso primitivo. Percebe-se que essa teoria representa a transposição das ideias de Janet ao plano do behaviorismo puro, uma vez que, em suma, as reações emocionais são dadas não como pura desordem, mas como uma menor adaptação: primeiro sistema organizado de reflexos defensivos, o circuito nervoso da criança é desadaptado em relação às necessidades do adulto, mas nele mesmo é uma organização funcional, análoga ao reflexo respiratório, por exemplo. Mas percebe-se também que essa tese só se diferencia da de James pela suposição de uma unidade orgânica que ligaria todas as manifestações emotivas. Não é preciso dizer que James teria aceitado sem dificuldade a existência de um tal circuito, se ela fosse provada. Ele teria considerado essa modificação em sua própria teoria como pouco importante, por ser de ordem estritamente fisiológica. Assim, Janet, se nos ativermos aos termos de sua tese, está muito mais próximo de James do que admite: ele falhou em sua tentativa de reintroduzir o "psíquico" na emoção; também não explicou por que há *diversas* condutas de fracasso, por que posso reagir a uma agressão brusca pelo medo *ou* pela cólera. Aliás, os exemplos que ele cita se reduzem quase todos a perturbações emocionais pouco diferenciadas (soluços, crise de nervos etc.), bem mais próximas do choque emocional propriamente dito do que da emoção qualificada.

Mas parece haver em Janet uma teoria subjacente da emoção – e, aliás, das condutas em geral – que reintroduziria, sem nomeá-la, a finalidade. Em suas exposições gerais sobre a psicastenia ou a afetividade, ele insiste, como dissemos, no caráter automático da derivação. Mas em muitas de suas descrições ele dá a entender que o doente se lança na conduta inferior *para não* assumir a conduta superior. Aqui, é o próprio doente que proclama seu fracasso antes mesmo de ter empreendido a luta, e a conduta emotiva vem *mascarar* a impossibilidade de assumir a conduta adaptada. Retomemos o exemplo citado mais acima: uma doente vem procurar Janet, quer confiar-lhe o segredo de seus distúrbios, descrever-lhe minuciosamente suas obsessões. Mas ela não consegue: é uma conduta social muito difícil para ela. *Então* ela põe-se a soluçar. Mas soluça *porque* nada pode dizer? São seus soluços esforços vãos para agir, uma agitação difusa que representaria a decomposição de uma conduta muito difícil ou soluça precisamente *para nada dizer*? Entre essas duas interpretações a diferença parece pequena à primeira vista: nas duas hipóteses há uma conduta impossível de assumir, nas duas hipóteses há substituição da conduta por manifestações difusas. Assim, Janet passa facilmente de uma a outra: é o que faz a ambiguidade de sua teoria. Mas, em realidade, um abismo separa essas duas interpretações. Com efeito, a primeira é puramente mecanicista e – como vimos – bastante próxima, no fundo, das ideias de James. A segunda, ao contrário, nos traz algo de verdadeiramente novo: só ela merece realmente o título de teoria psicológica das emoções, só ela faz da emoção uma conduta. É que, na verdade, se reintroduzimos aqui a finalidade, podemos conceber que a conduta emocional não é de modo algum uma desordem: é um sistema organizado de meios que visam a um fim. E esse sistema é *convocado* para mascarar, substituir, rechaçar uma conduta que não se pode ou não se quer assumir. Ao mesmo tempo, a explicação da diversidade das emoções se torna fácil: elas representam, cada qual, um meio diferente de eludir uma dificuldade: são uma escapatória particular, uma trapaça especial.

Mas Janet nos deu o que podia: ele é demasiado incerto, dividido entre um finalismo espontâneo e um mecanicismo de princípio. Não é a ele que pediremos para expor essa teoria pura da emoção-conduta. Encontramo-la esboçada nos discípulos de Köhler e, especialmente, em Lewin[6] e Dembo.[7] Eis aqui o que escreve a esse respeito P. Guillaume em sua *Psychologie de la forme*.[8]

"Tomemos o exemplo mais simples: propõe-se ao sujeito atingir um objeto colocado sobre uma cadeira, mas sem pôr o pé fora de um círculo traçado no chão; as distâncias são calculadas para que a coisa seja muito difícil ou impossível diretamente, mas pode-se resolver o problema por meios indiretos... Aqui a força orientada para o objeto adquire um sentido claro e concreto. Por outro lado, há nesses problemas um obstáculo à execução direta do ato; o obstáculo pode ser material ou moral. É, por exemplo, uma regra que se assumiu o compromisso de observar. Assim, em nosso exemplo, o círculo que não se deve transpor forma, na percepção do sujeito, uma barreira de onde emana uma força dirigida em

---

6. Lewin, Vorsatz, Wille und Bedürtnis, *Psy. Forschung*, VII, 1926.

7. Dembo, Das Aerger als dynamisches Problem, *Psy. Forschung*, 1931, p. 1-144.

8. *Bib. de Philosophie scientifique*, p. 138-142.

sentido contrário da primeira. O conflito das duas forças engendra no campo fenomênico uma tensão... A solução encontrada, o ato bem-sucedido poriam fim a essa tensão... Há toda uma psicologia do ato sucedâneo ou substituto, do *Ersatz* ao qual a escola de Lewin trouxe uma interessante contribuição. Sua forma é muito variável: os semirresultados alcançados podem contribuir para fixá-la. Às vezes o sujeito facilita o ato ao desembaraçar-se de algumas das condições impostas de quantidade, qualidade, velocidade, duração, e mesmo modificando a natureza de sua tarefa; noutros casos, trata-se de atos irreais, simbólicos; faz-se um gesto evidentemente inútil na direção do ato; descreve-se esse ato em vez de efetuá-lo, imaginam-se procedimentos quiméricos fictícios (se eu tivesse... seria preciso...) fora das condições reais ou impostas que permitiriam efetuá-lo. Se os atos de substituição são impossíveis ou se não oferecem resolução suficiente, a tensão persistente manifesta-se pela tendência a renunciar à prova, a evadir-se do campo ou a fechar-se em si mesmo numa atitude passiva. Dissemos, com efeito, que o sujeito se acha submetido à atração positiva do alvo e à ação repulsiva, negativa da barreira; além disso, o fato de ter aceito submeter-se à prova conferiu a todos os outros objetos do campo um valor negativo, no sentido de que todos os desvios alheios à tarefa são *ipso facto* impossíveis. Portanto, o sujeito está de certo modo encerrado dentro de um círculo fechado por todos os lados: uma única saída positiva existe, mas ela é bloqueada pela barreira específica. Essa situação corresponde ao diagrama abaixo.

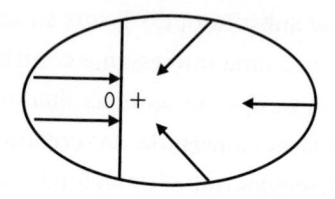

"A *evasão* é somente uma solução brutal, pois é preciso romper a barreira geral e aceitar uma diminuição do eu. O fechamento em si mesmo, o *enquistamento* que ergue entre mim e o campo hostil uma barreira de proteção, é uma outra solução geralmente medíocre.

"Nessas condições, a continuação da prova pode resultar em desordens emocionais, em outras formas ainda mais primitivas de liberação de tensões. Os acessos de cólera às vezes muito violentos que sucedem a certas pessoas são bem estudados no trabalho de T. Dembo. A situação sofre uma simplificação estrutural. Há na cólera, e certamente em todas as emoções, um enfraquecimento das barreiras que separam as camadas profundas e superficiais do eu, e que normalmente asseguram o controle dos atos da personalidade profunda e a dominação de si mesmo; um enfraquecimento das barreiras entre o real e o irreal. Em contrapartida, pelo fato de a ação estar bloqueada, as tensões entre o exterior e o interior continuam a aumentar: o caráter negativo estende-se uniformemente a todos os objetos do campo, que perdem seu valor próprio... Tendo desaparecido a direção privilegiada do alvo, a estrutura diferenciada que o problema impunha ao campo é destruída... Os fatos particulares, sobretudo as reações fisiológicas variadas que muitos quiseram descrever atribuindo-lhes uma significação particular, só são inteligíveis a partir dessa concepção de conjunto da topologia da emoção..."

Eis-nos chegados, ao final dessa longa citação, a uma concepção funcional da cólera. Certamente, a cólera não é um instinto, nem um hábito, nem um cálculo racional. É uma solução brusca de um conflito, um modo de cortar o nó górdio. E reencontramos, com certeza, a distinção de Janet entre as condutas superiores e as condutas inferiores ou derivadas. Só que essa distinção, aqui, adquire todo o seu sentido: somos nós mesmos que nos colocamos em estado de total inferioridade, porque nesse nível muito baixo nossas exigências são menores, satisfazemo-nos com menos dispêndio. Não podendo encontrar, em estado de alta-tensão, a solução delicada e precisa de um problema, agimos sobre nós mesmos, nos rebaixamos e nos transformamos num ser para quem soluções grosseiras e menos adaptadas são suficientes (por exemplo, rasgar a folha que traz o enunciado do problema). Assim a cólera aparece aqui como uma evasão: o sujeito em cólera assemelha-se a um homem que, não podendo desfazer os nós das cordas que o prendem, torce-se em todos os sentidos nas suas amarras. E a conduta "cólera", menos bem adaptada ao problema que a conduta superior – e impossível – que o resolveria, está no entanto precisa e perfeitamente adaptada à necessidade de romper a tensão, de tirar a capa de chumbo que pesa sobre nossos ombros. Poder-se-á compreender, doravante, os exemplos que citávamos mais acima: a psicastênica que procura Janet quer fazer-lhe uma confissão. Mas a tarefa é muito difícil. Ei-la, portanto, num mundo estreito e ameaçador que espera dela um ato preciso e que o rejeita ao mesmo tempo. O próprio Janet significa, por sua atitude, que ele escuta e que ele espera. Mas, por seu prestígio, por sua personalidade etc., ele rejeita essa confissão. É preciso escapar a essa tensão intolerável, e a paciente só o consegue exagerando sua fraqueza, sua confusão, desviando sua atenção do ato a realizar para focá-la sobre si ("como sou infeliz!"), transformando, por sua atitude mesma, Janet de juiz em consolador, exteriorizando e fingindo a impossibilidade em que se encontra de falar, trocando a necessidade precisa de dar essa ou aquela informação por uma pressão pesada e indiferenciada que o mundo exerce sobre ela. É então que os soluços e a crise nervosa vão aparecer.

Do mesmo modo, é fácil compreender o acesso de cólera que se apodera de mim, quando não sei mais o que responder a um trocista. A cólera, aqui, não tem exatamente o mesmo papel que no exemplo de Dembo: não pude ser espirituoso, por isso me faço temível e intimidador. Quero causar medo. Ao mesmo tempo, uso de meios derivados (*ersätze*) para vencer meu adversário: injúrias, ameaças que "*valem pelo*" dito espirituoso que eu não soube encontrar, e me torno, pela transformação brusca que me imponho, menos exigente quanto à escolha dos meios.

No entanto, no ponto em que chegamos, não poderíamos estar satisfeitos. A teoria da conduta-emoção é perfeita, mas, em sua pureza e em sua perfeição mesma, podemos ver sua insuficiência. Em todos os exemplos que citamos, o papel funcional da emoção é inegável. Mas ele é também, enquanto tal, incompreensível. Entendo que, para Dembo e os psicólogos da forma, a passagem do estado de busca ao estado de cólera se explique pela ruptura de uma forma e a reconstituição de uma outra forma. E compreendo, a rigor, a ruptura da forma "problema sem solução"; mas como posso admitir o aparecimento da outra forma? É preciso supor que ela se dá nitidamente como o substituto da primeira. Ela só existe em relação à primeira. Há, portanto, um único processo que é transformação de forma. Mas não posso compreender essa transformação sem admitir primeiro a consciência. Só ela pode, por sua atividade sintética, romper e reconstituir formas incessantemente. Só ela pode explicar a finalidade da emoção. Além disso, vimos que toda a descrição da cólera feita por Guillaume com base em Dembo nos mostra esta como visando a transformar o aspecto do mundo. Trata-se de "enfraquecer as barreiras entre o real e o irreal", de "destruir a estrutura diferenciada que o problema impunha ao campo". Perfeito; mas tão logo se trata de admitir uma relação do mundo com o eu, não podemos mais nos contentar com uma psicologia da forma. É preciso evidentemente recorrer à consciência. Aliás, não é a ela, em última instância, que Guillaume recorre quando diz que o colérico "enfraquece as barreiras que separam as camadas profundas e superficiais do eu"? Assim a teoria fisiológica de James nos conduziu, por sua insuficiência mesma, à teoria das condutas de Janet, esta à teoria da emoção-forma funcional, e esta nos remete enfim à consciência. É por aí que deveríamos ter começado, e convém agora formular o verdadeiro problema.

II. A teoria psicanalítica

Não se pode compreender a emoção se não lhe buscamos uma *significação*. Essa significação é, por natureza, de ordem funcional. Somos levados, pois, a falar de uma finalidade da emoção. Essa finalidade nós a captamos de uma maneira muito concreta pelo exame objetivo da conduta emocional. Não se trata de maneira alguma de uma teoria mais ou menos obscura da emoção-instinto que se fundaria sobre princípios *a priori* ou postulados. A simples consideração dos fatos nos conduz a uma intuição empírica da significação finalista da emoção. Se tentarmos, por outro lado, fixar numa intuição plena a essência da emoção como fato da interpsicologia, compreendemos essa finalidade como inerente à sua estrutura. E todos os psicólogos que refletiram sobre a teoria periférica de James tiveram mais ou menos consciência dessa significação finalista: é ela, por exemplo, que Janet honra com o nome de "psíquica", é ela que os psicólogos ou fisiologistas como Cannon e Sherrington tentavam reintroduzir na descrição dos fatos emotivos com sua hipótese de uma sensibilidade cerebral, é ela ainda que reencontramos em Wallon ou, mais recentemente, nos psicólogos da forma. Essa finalidade supõe uma organização sintética das condutas que só pode ser o inconsciente dos psicanalistas ou a consciência. Ora, seria a rigor bastante fácil fazer uma teoria psicanalítica da emoção-finalidade. Poderíamos sem muita dificuldade mostrar a cólera ou o medo como meios utilizados pelas tendências inconscientes para satisfazer-se simbolicamente, para romper um estado de tensão insuportável. Explicaríamos assim este caráter essencial da emoção: ela é *sofrida*, ela surpreende, ela se desenvolve segundo leis próprias e sem que nossa espontaneidade consciente possa modificar seu curso de um modo muito apreciável. Essa dissociação do caráter organizado da emoção, cujo tema organizador seria rejeitado no inconsciente – e de seu caráter inelutável, que só seria assim para a consciência do sujeito –, prestaria aproximadamente o mesmo serviço, no plano da psicologia empírica, que a distinção kantiana entre o caráter empírico e o caráter numênico, no plano metafísico.

É certo que a psicologia psicanalítica foi a primeira a pôr o acento na significação dos fatos psíquicos; isto é, foi a primeira a insistir no fato de que todo estado de consciência vale por outra coisa que não ele mesmo. Por exemplo, o roubo inabilidoso praticado por um obsessivo sexual não é simplesmente "roubo-inabilidoso". Ele nos remete a outra coisa que não ele mesmo, a partir do momento em que o consideramos, com os psicanalistas, como fenômeno de autopunição. Ele remete então ao complexo primário do qual o doente procura justificar-se se punindo. Percebe-se que uma teoria psicanalítica da emoção seria possível. Ela já não existe? Essa mulher com fobia de loureiros: assim que vê essas árvores, desmaia. O psicanalista descobre em sua infância um penoso incidente sexual ligado a um bosque de loureiros. Portanto, o que será aqui a emoção? Um fenômeno de recusa, de censura. A emoção aqui é uma fuga diante da revelação a ser feita, como o sono é às vezes uma fuga diante da decisão a tomar, como a doença de certas moças é, para Steckel, uma fuga diante do casamento. Naturalmente a emoção nem sempre será evasão. Pode-se já entrever nos psicanalistas uma interpretação da cólera como satisfação simbólica de tendências sexuais. E, certamente, nenhuma dessas interpretações deve ser rejeitada. Que a cólera possa *significar* o sadismo, não há dúvida. Que o desmaio do medo passivo possa significar a fuga, a busca de um refúgio, é certo, e tentaremos mostrar a razão disso. O que está em questão, aqui, é o princípio mesmo das explicações psicanalíticas. É ele que gostaríamos de considerar agora.

A interpretação psicanalítica concebe o fenômeno consciente como a realização simbólica de um desejo recalcado pela censura. Notemos que, para a consciência, esse desejo *não está implicado em sua realização simbólica*. Na medida em que existe pela e na nossa consciência, ele é unicamente aquilo pelo qual se apresenta: emoção, desejo de sono, roubo, fobia de loureiros etc. Se fosse de outro modo e tivéssemos alguma consciência *mesmo implícita* de nosso verdadeiro desejo, seríamos de *má-fé*, e o psicanalista não entende assim. Disso resulta que a significação de nosso comportamento consciente é inteiramente exterior a esse próprio comportamento, ou, se preferirem, o *significado* é inteiramente separado do *significante*. O comportamento do sujeito é nele mesmo o que ele é (se chamarmos "nele mesmo" o que ele é *para si*), mas é possível decifrá-lo por técnicas apropriadas, como se decifra uma linguagem. Em uma palavra, o fato consciente é, em relação ao significado, assim como uma coisa, *efeito* de um certo acontecimento, é em relação a esse acontecimento: por exemplo, como os vestígios de um fogo aceso na montanha em relação aos seres humanos que acenderam esse fogo. As presenças humanas não estão *contidas* nas cinzas que restam. Estão ligadas a elas por uma relação de causalidade: a relação é *externa*, os vestígios do fogo são *passivos* para essa relação causal, como todo efeito para sua causa. Uma consciência que não tivesse adquirido os conhecimentos técnicos necessários não poderia perceber esses vestígios como *sinais*. Ao mesmo tempo, esses vestígios são o que são, isto é, existem em si fora de toda interpretação significante: *são* pedaços de madeira meio calcinados, nada mais.

Será que podemos admitir que um fato de consciência possa ser como uma coisa em relação à sua significação, isto é, recebê-la de fora como uma qualidade exterior – assim como é uma qualidade exterior para a madeira queimada ter sido queimada por homens que queriam se aquecer? Parece que o primeiro resultado de semelhante interpretação é constituir a consciência como coisa em relação ao significado, é admitir que a consciência se constitui como significação sem ser consciente da significação que ela constitui. Há aí uma contradição flagrante, a menos que se considere a consciência como um existente do mesmo tipo que uma pedra ou uma vasilha. Mas, nesse caso, é preciso renunciar inteiramente ao *cogito* cartesiano e fazer da consciência um fenômeno secundário e passivo. Na medida em que a consciência *se faz*, ela nunca é senão o que aparece a si mesma. Portanto, se ela possui uma significação, deve contê-la nela como estrutura de consciência. Isto não quer dizer que essa significação deva ser perfeitamente explícita. Há muitos graus possíveis de condensação e de clareza. Quer dizer apenas que não devemos interrogar a consciência de fora, como se interrogam os vestígios do fogo e do acampamento, mas de dentro; deve-se buscar *nela* a significação. A consciência, se o *cogito* deve ser possível, é ela mesma o *fato*, a *significação* e o *significado*.

Na verdade, o que torna difícil uma refutação exaustiva da psicanálise é que o psicanalista não considera a significação como conferida inteiramente de fora à consciência. Há sempre para ele uma analogia interna entre o fato consciente e o desejo que ele exprime, já que o *fato consciente simboliza com o complexo exprimido*. E esse caráter de símbolo, para o psicanalista, não é evidentemente exterior ao próprio fato de consciência: é *constitutivo* dele. Sobre esse ponto estamos inteiramente de acordo: não há dúvida alguma que a simbolização seja constitutiva da consciência simbólica para quem crê no valor absoluto do *cogito* cartesiano. Mas convém entender-se: se a simbolização é constitutiva da consciência, é lícito admitir uma ligação imanente de *compreensão* entre a simbolização e o símbolo. Só que será preciso convir que a consciência *se constitui* como simbolização. Nesse caso, não há nada por trás dela e a relação entre símbolo, simbolizado e simbolização é uma ligação intraestrutural da consciência. Mas se acrescentarmos que a consciência é simbolizante sob a pressão causal de um fato transcendente que é o desejo recalcado, recaímos na teoria precedentemente assinalada que faz da relação do significado ao significante uma relação causal. A contradição profunda de toda a psicanálise é apresentar *ao mesmo tempo* uma ligação de causalidade e uma ligação de compreensão entre os fenômenos que ela estuda. Esses dois tipos de ligação são incompatíveis. Assim o teórico da psicanálise estabelece ligações transcendentes de causalidade rígida entre os fatos estudados (uma pregadeira de alfinetes *significa* sempre, no sonho, seios de mulher, entrar num vagão *significa* fazer o ato sexual), enquanto o clínico se assegura dos acertos ao estudar sobretudo os fatos de consciência em compreensão, isto é, buscando com maleabilidade a relação intraconsciente entre simbolização e símbolo.

De nossa parte, não rejeitamos os resultados da psicanálise quando são obtidos pela compreensão. Limitamo-nos a negar qualquer valor e inteligibilidade à sua teoria subjacente da causalidade psíquica. Por outro lado, afirmamos que, na medida em que o psicanalista se serve da *compreensão* para interpretar a consciência, mais valeria reconhecer francamente que tudo o que se passa na consciência só pode receber sua explicação da própria consciência. Eis-nos de volta, portanto, a nosso ponto de partida: uma teoria da emoção que afirma o caráter significante dos fatos emotivos deve buscar essa significação na consciência mesma. Em outras palavras, é a consciência que *se faz ela mesma* consciência, comovida pelas necessidades de uma significação interna.

Os defensores da psicanálise levantarão em seguida uma dificuldade de princípio: se a consciência organiza a emoção como um certo tipo de resposta adaptada a uma situação exterior, como se explica então que ela não tenha consciência dessa adaptação? E cumpre reconhecer que a teoria deles justifica perfeitamente essa defasagem entre significação e consciência, o que não deve nos surpreender, já que ela é feita precisamente para isso. Mais ainda, eles dirão que na maior parte dos casos lutamos, enquanto espontaneidade consciente, contra o desenvolvimento das manifestações emocionais: procuramos controlar nosso medo, acalmar nossa cólera, conter nossos soluços. Assim não apenas não temos consciência da finalidade da emoção, como também rejeitamos a emoção com todas as nossas forças, e ela nos invade contra a nossa vontade. Uma descrição fenomenológica da emoção se obriga, pois, a levantar essas contradições.

III. Esboço de uma teoria fenomenológica

O que talvez nos ajude em nossa pesquisa é uma observação preliminar que pode servir de crítica geral a todas as teorias da emoção com que deparamos (exceto talvez a teoria de Dembo): tudo se passa para a maior parte dos psicólogos como se a consciência *da* emoção fosse primeiramente uma consciência reflexiva, isto é, como se a forma primeira da emoção enquanto fato de consciência fosse mostrar-se a nós como uma modificação de nosso ser psíquico, ou, para empregar a linguagem comum, fosse ser apreendida primeiro como um *estado de consciência*. E, certamente, é sempre possível tomar consciência da emoção como estrutura afetiva da consciência, dizer: estou com raiva, tenho medo etc. Mas o medo não é originalmente consciência *de* ter medo, como tampouco a percepção deste livro não é consciência *de* perceber o livro. A consciência emocional é primeiramente irrefletida e, nesse plano, ela só pode ser consciência dela mesma no modo não posicional. A consciência emocional é, em primeiro lugar, consciência *do* mundo. Não é sequer necessário ter presente toda a teoria da consciência para compreender claramente esse princípio. Algumas observações simples podem ser suficientes, e é curioso que os psicólogos da emoção nunca tenham pensado em fazê-las. De fato, é evidente que o homem que tem medo, tem medo *de* alguma coisa. Mesmo se é uma daquelas angústias indefinidas que sentimos na escuridão, numa passagem sinistra e deserta etc., é ainda *de* certos aspectos da noite, do mundo, que temos medo. E, sem dúvida, todos os psicólogos notaram que a emoção é desencadeada por uma percepção, uma representação-sinal etc. Mas parece, segundo eles, que a emoção se afasta em seguida do objeto para se absorver nela mesma. Não é preciso refletir muito para compreender, ao contrário, que a emoção retorna a todo instante ao objeto e dele se alimenta. Descreve-se a fuga no medo, por exemplo, como se a fuga não fosse antes de tudo uma fuga *diante de* um certo objeto, como se o objeto evitado não permanecesse constantemente presente na fuga mesma, como seu tema, sua razão de ser, *aquilo diante do qual se foge*. E como falar da cólera, na qual se golpeia, injuria, ameaça, sem mencionar a pessoa que representa a unidade objetiva desses insultos, ameaças e golpes? Em uma palavra, o sujeito emocionado e o objeto emocionante estão unidos numa síntese indissolúvel. A emoção é uma certa maneira de apreender o mundo. É o que somente Dembo entreviu, embora não dê a razão disso. O sujeito que busca a solução de um problema prático está fora no mundo, ele percebe o mundo a todo instante, através de todos os seus atos. Se fracassa em suas tentativas, irrita-se, sua irritação mesma é ainda uma maneira de como o mundo lhe aparece. E não é necessário que o sujeito, entre a ação que fracassa e a cólera, faça um retorno sobre si, intercale uma consciência reflexiva. Pode haver passagem contínua da consciência irrefletida "mundo-agido" (ação) à consciência irrefletida "mundo-odioso" (cólera). A segunda é uma transformação da outra. Para compreender melhor o que segue, é necessário que o leitor tenha presente a essência da *conduta-irrefletida*. Tende-se muito a acreditar que a ação é uma passagem constante do irrefletido ao refletido, do mundo a nós mesmos. Perceberíamos o problema (irreflexão – consciência *do mundo*), depois perceberíamos a nós mesmos como tendo o problema a resolver (reflexão), a partir dessa reflexão conceberíamos uma ação a ser cumprida *por nós* (reflexão), e então tornaríamos a descer no mundo para executar a ação (irrefletida), considerando apenas o objeto agido. A seguir, todas as dificuldades novas, todos os fracassos parciais que exigem um estreitamento da adaptação nos remeteriam de volta ao plano refletido. Daí um vaivém constante que seria constitutivo da ação.

Ora, é certo que podemos refletir sobre nossa ação. Mas uma operação *sobre* o universo se executa, na maioria das vezes, sem que o sujeito abandone o plano irrefletido. Por exemplo, neste momento escrevo, mas não tenho consciência de escrever. Dirão que o hábito tornou-me inconsciente os movimentos que faz minha mão ao traçar as letras. Isto seria absurdo. Talvez eu tenha o hábito de escrever, mas não o de escrever *tais* palavras em *tal* ordem. De uma maneira geral, convém desconfiar das explicações pelo hábito. Em realidade, o ato de escrever não é de modo algum inconsciente, é uma estrutura atual de minha consciência. Só que ele não é consciente *de* si mesmo. Escrever é tomar uma consciência ativa *das palavras* enquanto elas surgem de minha pena. Não das palavras enquanto são escritas *por mim*: apreendo intuitivamente as palavras enquanto têm essa qualidade de estrutura de surgirem *ex nihilo* e, não obstante, de não serem criadoras por si mesmas, de serem passivamente criadas. No momento em que traço uma delas, não presto atenção isoladamente em cada uma das pernas de letras que minha mão forma: estou num estado especial de espera, a espera criadora, espero que a palavra – que sei de antemão – sirva-se da mão que escreve e das pernas de letras que ela traça para se realizar. E, com certeza, não estou consciente das palavras da mesma forma que quando leio o que uma pessoa escreve, olhando por cima de seu ombro. Mas isso não quer dizer que eu esteja consciente de mim como escrevente. As diferenças essenciais são estas: em primeiro lugar, minha apreensão intuitiva do que meu vizinho escreve é do tipo "evidência provável". Percebo as palavras que sua mão traça bem antes que ele as tenha traçado completamente. Mas, no momento em que, lendo "indep...", percebo intuitivamente "independente", a palavra "independente" se dá como uma realidade provável (à maneira da mesa ou da cadeira). Ao contrário, minha percepção intuitiva das palavras que escrevo me apresenta essas palavras como certas. Trata-se de uma certeza um pouco particular: não é certo que a palavra "certeza", que estou em via de escrever, vá aparecer (posso ser interrompido, mudar de ideia etc.), mas é certo que, se aparecer, aparecerá desta maneira. Assim, a ação constitui uma camada de objetos certos num mundo provável. Digamos, se quiserem, que eles são prováveis enquanto seres reais futuros, mas certos enquanto potencialidades do mundo. Em segundo lugar, as palavras que meu vizinho escreve nada exigem, contemplo-as em sua ordem de aparecimento sucessivo, assim como olho uma mesa ou um cabide. Ao contrário, as palavras que escrevo são *exigências*. É o modo mesmo como as percebo através de minha atividade criadora que as constitui como tais: elas aparecem como potencialidades *que devem ser realizadas*. Não que devam ser realizadas *por mim*. O eu não aparece de modo algum aqui. Sinto simplesmente a tração que elas exercem. Sinto objetivamente a exigência delas. Vejo-as realizarem-se e, ao mesmo tempo, reclamarem realizar-se ainda mais. E posso perfeitamente *pensar* as palavras que meu vizinho traça como exigindo dele sua realização: não *sinto* essa exigência. Ao contrário, a exigência das palavras que traço é diretamente presente, sentida e pesada. Elas puxam e conduzem minha mão. Mas não à maneira de pequenos demônios espertos e ativos que a empurrariam e puxariam: elas têm uma exigência passiva. Quanto à *minha mão*, tenho consciência dela no sentido de que a vivo diretamente como o instrumento pelo qual as palavras se realizam. É um objeto do mundo, mas é ao mesmo tempo um objeto presente e vivido. Eis que agora hesito: escreverei "logo" ou "por conseguinte"? Isto não implica de modo algum um retorno sobre mim mesmo. Simplesmente as potencialidades "logo" e "por conseguinte" aparecem – enquanto potencialidades – e entram em conflito. Tentaremos noutra parte descrever em detalhe o mundo agido. O que importa aqui é apenas mostrar que a ação como consciência espontânea irrefletida constitui uma certa camada existencial no mundo, e que não há necessidade de ser consciente de si como agente para agir – muito pelo contrário. Em suma, uma conduta irrefletida não é uma conduta inconsciente, ela é consciente dela mesma não teticamente, e sua maneira de ser teticamente consciente dela mesma é transcender-se e perceber-se no mundo como uma qualidade de coisas. Assim pode-se compreender todas as exigências e as tensões do mundo que nos cerca, assim pode-se traçar um mapa "hodológico"[9] de nosso *Umwelt*, mapa que varia em função de nossos atos e de nossas necessidades. Só que, na ação normal e adaptada, os objetos "a realizar" aparecem como devendo ser realizados por certos caminhos. Os próprios meios aparecem como potencialidades que reclamam a existência. Essa apreensão do meio como o único caminho possível para chegar ao objetivo (ou, se há *n* meios, como os únicos *n* meios possíveis etc.) podemos chamá-la a intuição pragmatista do determinismo do mundo. Desse ponto de vista, o mundo que nos cerca – o que os alemães chamam *Umwelt* –, o mundo de nossos desejos, de nossas necessidades e de nossos atos, aparece como que sulcado por caminhos estreitos e rigorosos que conduzem a esse ou àquele objetivo determinado, isto é, ao aparecimento de um objeto criado. Naturalmente, aqui e ali, um pouco em toda parte, são armadilhas e emboscadas. Poder-se-ia comparar esse mundo às peças móveis das máquinas caça-níqueis nas quais se fazem rolar bolas: há caminhos traçados por fileiras de hastes metálicas e geralmente, no cruzamento dos caminhos, há buracos. É preciso que a bola percorra um trajeto determinado, tomando caminhos determinados e sem cair nos buracos. Esse mundo é *difícil*. Essa noção de dificuldade não é uma noção reflexiva que implicaria uma relação

---

9. Expressão de Lewin. [Hodologia é o estudo da conectividade dos neurônios. (N.T.)]

a mim. Ela está aí, no mundo, é uma qualidade do mundo que se dá na percepção (exatamente como os caminhos em direção às potencialidades, e as próprias potencialidades e as exigências dos objetos: livros que devem ser lidos, calçados que devem ser consertados etc.), é o correlativo noemático de nossa atividade empreendida ou simplesmente concebida.

Agora podemos conceber o que é uma emoção. É uma transformação do mundo. Quando os caminhos traçados se tornam muito difíceis ou quando não vemos caminho algum, não podemos mais permanecer num mundo tão urgente e tão difícil. Todos os caminhos estão barrados, no entanto é preciso agir. Então tentemos mudar o mundo, isto é, vivê-lo como se as relações das coisas com suas potencialidades não estivessem reguladas por processos deterministas, mas pela magia. Entendamos bem que não se trata de um jogo: estamos acuados e nos lançamos nessa nova atitude com toda a força de que dispomos. Entendamos também que essa tentativa não é consciente enquanto tal, pois então seria o objeto de uma reflexão. Ela é antes de tudo a captura de relações novas e de exigências novas. Só que, a captura de um objeto sendo impossível ou engendrando uma tensão insustentável, a consciência capta-o ou tenta captá-lo de outro modo, isto é, transforma-se precisamente para transformar o objeto. Em si, essa mudança na direção da consciência nada tem de estranho. Encontramos milhares de exemplos de tais transformações na atividade e na percepção. Procurar, por exemplo, um rosto dissimulado numa gravura-charada ("onde está o caçador?") é conduzir-nos perceptivamente diante da gravura de uma maneira nova, é comportar-nos diante dos ramos de árvores e postes telegráficos da imagem *como* diante de um caçador, é realizar os movimentos dos olhos que faríamos diante de um caçador. Mas não percebemos esses movimentos como tais. Através deles, uma intenção que os transcende, e da qual são os elementos, dirige-se às árvores e aos postes que são percebidos como "caçadores possíveis", até que subitamente a percepção cristaliza-se e o caçador aparece. Assim, através de uma mudança da intenção, como numa mudança de conduta, apreendemos um objeto novo ou um objeto antigo de uma maneira nova. Não há necessidade de colocar-se primeiro no plano reflexivo. A legenda da gravura serve de motivação diretamente. Buscamos o caçador sem abandonar o plano irrefletido. Ou seja, um caçador potencial aparece, vagamente localizado na imagem. Deve-se conceber do mesmo modo a mudança de intenção e de conduta que caracteriza a emoção. A impossibilidade de achar uma solução ao problema, apreendida objetivamente como uma qualidade do mundo, serve de motivação à nova consciência irrefletida que capta agora o mundo de outro modo e sob um novo aspecto, consciência irrefletida que ordena uma nova conduta

– através da qual esse aspecto é captado – e serve de elemento à intenção nova. Mas a conduta emotiva não está no mesmo plano que as outras condutas, ela não é *efetiva*. Não tem por finalidade agir realmente sobre o objeto enquanto tal por meios particulares. Ela busca conferir ao objeto, por ela mesma e sem modificá-lo em sua estrutura real, uma outra qualidade, uma menor existência ou uma menor presença (ou uma maior existência etc.). Em suma, na emoção é o corpo que, dirigido pela consciência, muda suas relações com o mundo para que o mundo mude suas qualidades. Se a emoção é um jogo, é um jogo no qual acreditamos. Um exemplo simples fará compreender essa estrutura emotiva: estendo a mão para pegar um cacho de uvas. Não consigo pegá-lo, está fora do meu alcance. Sacudo os ombros, torno a baixar a mão, murmuro "estão muito verdes" e me afasto. Todos esses gestos, essas palavras, essa conduta, não são percebidos por eles mesmos. Trata-se de uma pequena comédia que represento *debaixo* do cacho para conferir às uvas a característica "muito verdes", a qual pode servir de sucedâneo à conduta que não posso executar. Elas se apresentavam, de início, como "uvas a serem colhidas". Mas essa qualidade urgente logo se torna insuportável, porque a potencialidade não pode ser realizada. Essa tensão insuportável, por sua vez, torna-se um motivo para ver na uva uma nova qualidade "muito verde", que resolverá o conflito e suprimirá a tensão. Só que não posso conferir quimicamente essa qualidade às uvas, não posso agir sobre o cacho pelas vias ordinárias. Então capto o amargor da uva muito verde através de uma conduta de aversão. Confiro magicamente à uva a qualidade que desejo. Aqui a comédia só em parte é sincera. Mas, se a situação é mais urgente e a conduta encantatória for efetuada com seriedade, eis a emoção.

Seja, por exemplo, o medo passivo. Vejo vir em minha direção um animal feroz, minhas pernas fraquejam, meu coração bate mais devagar, empalideço, caio e desmaio. Nada parece menos adaptado do que essa conduta que me entrega sem defesa ao perigo. E, no entanto, é uma conduta de *evasão*. O desmaio é aqui um refúgio. Mas não se pense que é um refúgio *para mim*, que busco *me* salvar, *não ver mais* o animal feroz. Não saí do plano irrefletido: mas, por não poder evitar o perigo pelas vias normais e pelos encadeamentos deterministas, eu o neguei. Quis aniquilá-lo. A urgência do perigo serviu de motivo para uma intenção aniquiladora que comandou uma conduta mágica. E, realmente, o aniquilei na medida em que estava em meu poder. São estes os limites de minha ação mágica sobre o mundo: posso suprimi-lo como objeto de consciência, mas somente suprimindo a própria consciência.[10] Não se pense de modo algum

---

10. Ou pelo menos modificando-a: o desmaio é passagem a uma consciência de sonho, isto é, "irrealizante".

que a conduta fisiológica do medo passivo seja pura desordem. Ela representa a realização brusca das condições corporais que acompanham ordinariamente a passagem da vigília ao sono.

A fuga, no medo ativo, é tida erradamente como uma conduta racional. Vê-se nela o cálculo, curto, na verdade, de alguém que quer colocar entre si e o perigo a maior distância possível. Mas é compreender mal essa conduta, que seria então apenas prudência. Não fugimos para nos proteger: fugimos por não poder aniquilar-nos no desmaio. A fuga é um desmaio representado, é uma conduta mágica que consiste em negar o objeto perigoso com todo o nosso corpo, invertendo a estrutura vetorial do espaço onde vivemos ao criar bruscamente uma direção potencial, do *outro lado*. É um modo de esquecê-lo, de negá-lo. É da mesma maneira que os boxeadores noviços se lançam contra o adversário fechando os olhos: eles querem suprimir a existência de seus punhos, recusam percebê-los, e com isso suprimem simbolicamente sua eficácia. Assim revela-se-nos o verdadeiro sentido do medo: é uma consciência que visa a negar, através de uma conduta mágica, um objeto do mundo exterior, e que irá ao ponto de aniquilar-se para aniquilar o objeto com ela.

A tristeza passiva é caracterizada, como se sabe, por uma conduta de abatimento: há diminuição do tônus muscular, palidez, resfriamento das extremidades; a pessoa vira-se para um canto e permanece sentada, imóvel, oferecendo ao mundo a menor superfície possível. Prefere a penumbra à plena luz, o silêncio aos ruídos, a solidão de um quarto à multidão dos lugares públicos ou das ruas. "Para ficar sozinho, dizem, com sua dor." Isso não é verdade: é de bom-tom, com efeito, parecer meditar profundamente sobre sua mágoa. Mas são raros os casos em que se aprecia realmente a dor. A razão é bem outra: tendo desaparecido uma das condições ordinárias de nossa ação, o mundo exige de nós que ajamos nele e sobre ele *sem ela*. As potencialidades que o povoam (trabalhos *a* fazer, pessoas *a* ver, atos da vida cotidiana *a* cumprir) permanecem em sua maior parte as mesmas. Só que os meios para realizá-las, os caminhos que sulcam nosso "espaço hodológico", mudaram. Por exemplo, se fiquei sabendo de minha ruína, não disponho mais dos mesmos meios (carro particular etc.) para realizá-las. Preciso substituir aqueles meios por novos (andar de ônibus etc.), e é precisamente o que não quero. A tristeza visa a suprimir a obrigação de buscar esses novos meios, de transformar a estrutura do mundo substituindo sua constituição presente por uma estrutura totalmente indiferenciada. Trata-se, em suma, de fazer do mundo uma realidade afetivamente neutra, um sistema em equilíbrio afetivo total, de abandonar os objetos com forte carga afetiva, de levá-los todos ao zero afetivo e, desse modo, apreendê-los como perfeitamente equivalentes e intercambiáveis. Em outras palavras, por não poder e querer realizar os atos que projetávamos, fazemos de modo que o universo nada mais exija de nós. Para tanto podemos apenas agir sobre nós mesmos, "ficar na penumbra" – e o correlativo noemático dessa atitude é o que chamaremos de *Sombrio*: o universo é sombrio, isto é: de estrutura indiferenciada. Ao mesmo tempo, porém, tomamos naturalmente a posição recolhida, nos "encolhemos". O correlativo noemático dessa atitude é o *Refúgio*. O universo inteiro é monótono, mas, precisamente porque queremos nos proteger de sua monotonia assustadora e ilimitada, constituímos um lugar qualquer num "canto". É a única diferenciação na monotonia total do mundo: um trecho de muro, um pouco de obscuridade que nos dissimula sua imensidão sombria.

A tristeza ativa pode assumir muitas formas. Mas a que é citada por Janet (a psicastênica que tem uma crise de nervos porque não quer fazer sua confissão) pode se caracterizar como uma *recusa*. Trata-se, antes de tudo, de uma conduta negativa que visa a negar a urgência de certos problemas e a substituí-los por outros. A paciente quer sensibilizar Janet. Isto significa que quer substituir a atitude de espera impassível que ele adota por uma atitude de atenção afetuosa. Então utiliza seu corpo para levá-lo a isso. Ao mesmo tempo, colocando-se num estado tal que a confissão seria impossível, ela põe fora de alcance o ato a fazer. Enquanto estiver possuída pelas lágrimas e os soluços, qualquer possibilidade de falar lhe é tirada. Aqui, portanto, a potencialidade não é suprimida, a confissão permanece "por fazer". Mas ela saiu do alcance da paciente, ela não pode mais *querer* fazê-la, mas somente *desejar* fazê-la um dia. Assim a paciente livrou-se do sentimento penoso de que o ato estava *em seu poder*, de que tinha a liberdade de fazê-lo ou não. A crise emocional é aqui abandono de responsabilidade. Há exagero mágico das dificuldades do mundo. Este conserva, portanto, sua estrutura diferenciada, mas aparece como injusto ou hostil porque exige *muito* de nós, isto é, mais do que é humanamente possível lhe dar. A emoção de tristeza ativa, nesse caso, é então comédia mágica de impotência, a paciente assemelha-se àquelas empregadas que, após terem introduzido ladrões na casa do patrão, se fazem atar por eles, para que vejam bem que elas não podiam impedir esse roubo. Só que aqui a paciente ata-se a si mesma por inúmeros laços tênues. Dirão, talvez, que esse sentimento penoso de liberdade do qual ela quer desembaraçar-se é necessariamente de natureza reflexiva. Mas não é o que pensamos, e basta observar para ver que não é assim: é o objeto que se apresenta como devendo ser criado *livremente*, é a confissão que se apresenta *devendo* e *podendo* ao mesmo tempo ser feita. Há naturalmente outras funções e outras formas da tristeza ativa. Não insistiremos na cólera, da qual falamos longamente, e que é talvez, de todas as emoções, aquela cujo papel funcional é o mais evidente. Mas que dizer da alegria? Cabe ela em nossa descrição? À primeira vista parece que não, pois o sujeito alegre não precisa defender-se contra uma mudança enfraquecedora, contra um perigo. Mas convém distinguir, em primeiro lugar, entre a alegria-sentimento, que representa um equilíbrio, um estado adaptado, e a alegria-emoção. Ora, esta última, bem considerada, caracteriza-se por uma certa impaciência. Queremos dizer com isso que o sujeito alegre se comporta muito exatamente como um homem em estado de impaciência. Não fica quieto, faz mil projetos, esboça condutas que abandona em seguida etc. É que, de fato, sua alegria foi provocada pelo aparecimento do objeto de seus desejos. Anunciam-lhe que ganhou uma quantia importante, ou então ele vai rever alguém que ama e que não vê há muito tempo. Mas, embora esse objeto seja "iminente", ele ainda não está aí, ainda não é *dele*. Uma certa duração o separa do objeto. E mesmo se está aí, mesmo se o amigo tão desejado aparece na plataforma da estação de trens, mesmo assim é um objeto que só se entrega aos poucos, em breve o prazer que temos de revê-lo vai se atenuar: nunca conseguiremos tê-lo aí, diante de nós, como nossa propriedade absoluta, e percebê-lo de uma só vez como uma totalidade (tampouco teremos de uma só vez nossa nova riqueza, como uma totalidade instantânea. Ela se entregará através de mil detalhes e, por assim dizer, por "*abschattungen*" [avaliações]). A alegria é uma conduta mágica que tende a realizar por encantamento a posse do objeto desejado como totalidade instantânea. Essa conduta é acompanhada da certeza de que a posse será realizada cedo ou tarde, mas ela busca antecipar essa posse. As diversas atividades da alegria, assim como o aumento do tônus muscular, a ligeira vasodilatação, são animadas e transcendidas por uma intenção que visa ao mundo através delas. Este aparece como acessível, o objeto de nossos desejos revela-se próximo e fácil de possuir. Cada gesto é uma aprovação mais marcada. Dançar, cantar de alegria, representam condutas simbolicamente aproximativas, encantamentos. Através delas, o objeto – que não se poderia ter realmente senão por condutas prudentes e apesar de tudo difíceis – é possuído de uma só vez e simbolicamente. É assim, por exemplo, que um homem a quem uma mulher acaba de dizer que o ama, põe-se a dançar e a cantar. Ao fazer isso, desvia-se da conduta prudente e difícil que deveria seguir para merecer esse amor e fazê-lo crescer, para realizar lentamente sua posse e através de inúmeros detalhes (sorrisos, pequenas atenções etc.). Desvia-se mesmo da mulher, que representa, como realidade viva, precisamente o polo de todas essas condutas delicadas. Ele se dá um descanso: mais tarde agirá assim. Por ora possui o objeto magicamente, a dança imita sua posse.

Contudo não poderíamos nos contentar com essas poucas observações. Elas nos permitiram apreciar o papel funcional da emoção, mas ainda não sabemos muita coisa sobre sua natureza.

Devemos assinalar, primeiro, que os poucos exemplos que acabamos de ver estão longe de esgotar a variedade das emoções. Pode haver muitos outros medos, muitas outras tristezas. Afirmamos apenas que todas acabam por constituir um mundo mágico, utilizando nosso corpo como meio de encantamento. Em cada caso o problema é diferente, as condutas são diferentes. Para compreender sua significação e sua finalidade, seria preciso conhecer e analisar cada situação particular. De uma maneira geral, não há quatro grandes tipos de emoções, há muito mais, e classificá-los seria um trabalho útil e fecundo. Por exemplo, se o medo do tímido transforma-se subitamente em cólera (mudança de conduta motivada por uma mudança de situação), essa cólera não é uma cólera do tipo banal: ela é *medo ultrapassado*. Isso não quer dizer que seja redutível de algum modo ao medo. Simplesmente ela retém o medo anterior e faz ele entrar em sua própria estrutura. Mas só quando estivermos convencidos da estrutura funcional da emoção é que chegaremos a compreender a infinita variedade das consciências emocionais. Por outro lado, convém insistir num fato capital: as condutas puras e simples *não são* a emoção, como tampouco a pura e simples consciência dessas condutas. Se fosse assim, o caráter finalista da emoção apareceria bem mais claramente e, além disso, a consciência poderia facilmente livrar-se delas. Aliás, há emoções falsas que são apenas condutas. Se me dão um presente que só me interessa em parte, pode ocorrer que eu exteriorize uma alegria intensa, bata palmas, salte e dance. Mas será uma comédia. Deixar-me-ei levar um pouco, e seria inexato dizer que *não estou* alegre. No entanto minha alegria não é verdadeira, vou abandoná-la e afastá-la de mim tão logo meu visitante for embora. Isto é exatamente o que concordaremos em chamar uma alegria *falsa*, ao lembrarmos que a falsidade não é uma característica lógica de certas proposições, mas uma qualidade existencial. Do mesmo modo, posso ter falsos medos, falsas tristezas. Esses estados falsos distinguem-se, apesar de tudo, dos do ator. O ator imita a alegria, a tristeza, mas *não está* alegre nem triste, porque essas condutas se dirigem a um universo fictício. Ele imita a conduta, mas não se conduz. Nos diferentes casos de emoções falsas que acabo de citar, as condutas não são sustentadas por alguma coisa, elas existem sozinhas e são voluntárias. Mas a situação é verdadeira, e a concebemos como exigindo tais condutas. Assim, através dessas condutas, orientamos magicamente certas qualidades para objetos verdadeiros. Mas essas qualidades são falsas.

Não se deve entender por isto que elas sejam imaginárias, nem tampouco que devam necessariamente desaparecer mais tarde. Sua falsidade vem de uma fraqueza essencial que *se apresenta* como violência. A aprovação do objeto que acabam de me dar existe muito mais como exigência do que como realidade; possui uma espécie de realidade parasitária que sinto claramente, sei que faço ela aparecer no objeto por uma espécie de fascinação; se interrompo meus encantamentos, ela desaparecerá em seguida.

A verdadeira emoção é muito diferente: é acompanhada de crença. As qualidades intencionadas para os objetos são percebidas como verdadeiras. O que se deve entender exatamente por isto? Mais ou menos o seguinte: que a emoção é sofrida. Não se pode sair dela à vontade, ela se esgota espontaneamente, mas não podemos interrompê-la. Além disso, as condutas reduzidas a si mesmas apenas desenham esquematicamente no objeto a qualidade emocional que lhe conferimos. Uma fuga que fosse simplesmente correria não seria suficiente para constituir o objeto como horrível. Ou melhor, ela conferiria a ele a qualidade formal de *horrível*, mas não a matéria dessa qualidade. Para sentirmos realmente o horrível, não basta apenas imitá-lo, é preciso que sejamos enfeitiçados, excedidos por nossa própria emoção, é preciso que o quadro formal da conduta seja preenchido por algo de opaco e de pesado que lhe serve de matéria. Compreendemos aqui o papel dos fenômenos puramente fisiológicos: eles representam o *sério* da emoção, são fenômenos de crença. Certamente eles não devem ser separados da conduta: em primeiro lugar, apresentam com ela uma certa analogia. A diminuição do tônus no medo e na tristeza, as vasoconstrições, os distúrbios respiratórios simbolizam bastante bem, com uma conduta que visa negar o mundo ou descarregá-lo de seu potencial, a fronteira entre os distúrbios puros e as condutas. Enfim, eles compõem com a conduta uma forma sintética total e não poderiam ser estudados por si mesmos: o erro da teoria periférica é precisamente tê-los considerado de maneira isolada. No entanto eles não são redutíveis a condutas: pode-se parar de fugir, não de tremer. Posso, por um violento esforço, levantar-me da cadeira, desviar meu pensamento do desastre que me oprime e pôr-me a trabalhar: minhas mãos continuarão geladas. Deve-se considerar, portanto, que a emoção não é simplesmente representada, não é um comportamento puro: é o comportamento de um corpo que se acha num certo estado; o simples estado não provocaria o comportamento, o comportamento sem o estado é comédia; mas a emoção aparece num corpo perturbado que mantém uma certa conduta. A perturbação pode sobreviver à conduta, mas a conduta constitui a forma e a significação da perturbação.

Por outro lado, sem essa perturbação a conduta seria significação pura, esquema afetivo. Estamos claramente diante de uma forma sintética: *para crer* nas condutas mágicas, é preciso estar perturbado.

Para compreender bem o processo emocional a partir da consciência, convém lembrar o caráter duplo do corpo, que é por um lado um objeto no mundo e, por outro, a experiência vivida imediata da consciência. Assim podemos compreender o essencial: a emoção é um fenômeno de crença. A consciência não se limita a projetar significações afetivas no mundo que a cerca: ela *vive* o mundo novo que acaba de constituir. Vive-o diretamente, interessa-se por ele, admite as qualidades que as condutas esboçaram. Isto significa que, quando todos os caminhos estão barrados, a consciência precipita-se no mundo mágico da emoção, precipita-se por inteiro, degradando-se; ela é nova consciência diante do mundo novo, e é com o mais íntimo nela que ela o constitui, com essa presença a si mesma, sem distância, de seu ponto de vista sobre o mundo. A consciência que se emociona assemelha-se muito à consciência que adormece. Esta, como aquela, lança-se num mundo novo e transforma seu corpo, como totalidade sintética, de modo que ela possa viver e apreender esse mundo novo através dele. Em outras palavras, a consciência muda de corpo ou, se preferirem, o corpo – enquanto ponto de vista sobre o universo imediatamente inerente à consciência – põe-se no nível das condutas. Eis por que as manifestações fisiológicas são, no fundo, distúrbios de uma grande banalidade: assemelham-se aos da febre, da angina do peito, da superexcitação artificial etc. Representam simplesmente a perturbação total e vulgar do corpo enquanto tal (somente a conduta decidirá se a perturbação será "diminuição de vida" ou "crescimento"). Em si mesmo ela é nada, representa apenas um obscurecimento do ponto de vista da consciência sobre as coisas *enquanto* a consciência realiza e *vive espontaneamente* esse obscurecimento. Convém naturalmente entender esse obscurecimento como um fenômeno sintético e sem partes. Mas como, por outro lado, o corpo é coisa entre coisas, uma análise científica poderá distinguir no corpo-biológico, no corpo-coisa, distúrbios localizados desse ou daquele órgão.

Assim a origem da emoção é uma degradação espontânea e vivida da consciência diante do mundo. O que ela não pode suportar de uma certa maneira, procura captar de outra maneira, adormecendo, aproximando-se das consciências do sono, do sonho e da histeria. E a perturbação do corpo não é senão a crença vivida da consciência, enquanto ela é vista do exterior. Só que é preciso observar:

1. Que a consciência não tem, teticamente, consciência de si mesma como degradando-se para escapar à pressão do mundo: tem apenas consciência

posicional da degradação do mundo que passa ao nível mágico. O fato é que ela é consciência não tética de si. É nessa medida, e nessa medida apenas, que se pode dizer de uma emoção que ela não é sincera. Portanto, não é nada surpreendente que a finalidade da emoção não seja admitida por um ato de consciência no seio da emoção mesma. Essa finalidade, no entanto, não é inconsciente: ela se esgota na constituição do objeto;

2. Que a consciência é vítima de sua própria armadilha. Precisamente porque vive o novo aspecto do mundo *acreditando nele*, ela é apanhada em sua própria crença, exatamente como no sonho, na histeria. A consciência da emoção é cativa, mas não se deve entender por isto que um existente qualquer exterior a ela a teria encadeado. Ela é cativa dela mesma, no sentido de que não domina essa crença que se esforça por viver, e isto, precisamente, porque ela a vive, porque se absorve em vivê-la. Não se deve imaginar a espontaneidade da consciência no sentido de que ela seria sempre livre para negar alguma coisa no momento mesmo em que admitiria essa coisa. Uma tal espontaneidade seria contraditória. A consciência se transcende, por essência; é-lhe impossível, portanto, retirar-se nela para duvidar que está fora, no objeto. Ela não se *conhece* senão no mundo. E a dúvida só pode ser, por natureza, a constituição de uma qualidade existencial do objeto: o *duvidoso*, ou uma atividade

reflexiva de redução, isto é, o próprio de uma nova consciência dirigida à consciência posicional. Assim, como a consciência vive o mundo mágico no qual se lançou, ela tende a perpetuar esse mundo onde é cativa: a emoção tende a perpetuar-se. É nesse sentido que se pode dizê-la sofrida: a consciência emociona-se sobre sua emoção, ela exagera. Quanto mais se foge, mais se tem medo. O mundo mágico desenha-se, toma forma, depois fecha-se em torno da consciência e a comprime: ela não pode querer escapar, pode buscar fugir do objeto mágico, mas fugir é dar-lhe uma realidade mágica ainda mais forte. E esse caráter mesmo de *catividade*, a consciência não o realiza em si mesma, ela o percebe nos objetos, os objetos são cativantes, eles encadeiam, apoderam-se da consciência. A libertação deve vir de uma reflexão purificadora ou de um desaparecimento total da situação emocionante.

No entanto, e assim como é, a emoção não seria tão absorvente se apreendesse no objeto *apenas* a exata contraparte do que ela é noeticamente (por exemplo, *a esta hora*, sob *esta* luz, em *tais* circunstâncias, esse homem é terrificante). O que é constitutivo da emoção é que ela capta no objeto algo que a excede infinitamente. Com efeito, há um mundo da emoção. Todas as emoções têm em comum fazerem aparecer um mesmo mundo, cruel, terrível, sombrio, alegre etc., mas no qual a relação das coisas com a consciência é sempre e exclusivamente mágica. Deve-se falar de um mundo da emoção como se fala de um mundo do sonho ou dos mundos da loucura. Um mundo, isto é, sínteses individuais que mantêm entre si relações e que possuem *qualidades*. Ora, toda qualidade só é conferida a um objeto por uma passagem ao infinito. Essa cor cinza, por exemplo, representa a unidade de uma infinidade de *abschattungen* [avaliações] reais e possíveis, algumas das quais serão cinza-verde, cinza visto a uma certa luz, cinza-escuro etc. Do mesmo modo, as qualidades que a emoção confere ao objeto e ao mundo, ela os confere *ad aeternum*. Por certo, se percebo bruscamente um objeto como horrível, não afirmo explicitamente que ele permanecerá horrível para sempre. Mas a simples afirmação do horrível como qualidade substancial do objeto já é, nela mesma, uma passagem ao infinito. Agora o horrível está na coisa, no coração da coisa, é sua textura afetiva, é constitutivo dela. Assim, através da emoção, uma qualidade esmagadora e definitiva da coisa nos aparece. E é isto o que ultrapassa e mantém nossa emoção. O horrível não é apenas o estado atual da coisa, é ameaça quanto ao futuro, estende-se por todo o porvir e o obscurece, é revelação sobre o sentido do mundo. Assim, em cada emoção, uma série de protensões afetivas dirige-se ao futuro para constituí-lo sob um aspecto emocional. Vivemos emotivamente uma qualidade que nos penetra, que sofremos e nos ultrapassa de parte a parte. Num instante, a emoção é arrancada de si mesma, transcende-se, não é um episódio banal de nossa vida cotidiana, é intuição do absoluto.

É o que explica as emoções finas. Nestas, por uma conduta apenas esboçada, por uma leve oscilação de nosso estado físico, apreendemos uma qualidade objetiva do objeto. A emoção fina não é apreensão de um desagradável leve, de um admirável reduzido, de um sinistro superficial: é um desagradável, um admirável, um sinistro *entrevistos*, captados através de um véu. É uma intuição obscura e que se apresenta como tal. Mas o objeto está aí, ele espera e amanhã, talvez, o véu se afaste e o veremos em plena luz. É assim que podemos ficar muito pouco emocionados, se entendemos por isto as perturbações do corpo ou as condutas, e no entanto apreender, por uma leve depressão, nossa vida inteira como sinistra. O sinistro é total, sabemos que é profundo, mas por hoje apenas o entrevemos. Nesse caso e em muitos outros semelhantes, a emoção se apresenta como muito mais forte do que é realmente, pois percebemos um sinistro profundo através dela. Naturalmente, as emoções finas diferem radicalmente das emoções fracas que são captadas com um caráter afetivo leve na coisa. É a intenção que diferencia emoção fina e emoção fraca, pois a conduta e o estado somático podem ser idênticos em ambos os casos. Mas essa intenção, por sua vez, é motivada pela situação.

Essa teoria da emoção não explica certas reações bruscas de horror e de admiração que às vezes se apoderam de nós diante de objetos surgidos de repente. Por exemplo, um rosto assustador aparece de súbito e cola-se à vidraça da janela; sinto-me invadido de terror. Aqui, evidentemente, não há conduta a assumir, parece que a emoção não tem finalidade. De uma maneira geral, aliás, a percepção do *horrível* em situações ou nos rostos tem algo de imediato e não se acompanha ordinariamente de fuga ou desmaio. Nem mesmo de solicitação à fuga. Se refletimos sobre isso, trata-se de fenômenos muito particulares, mas que podem receber uma explicação compatível com as ideias que acabamos de expor. Vimos que na emoção a consciência se degrada e transforma bruscamente o mundo determinado em que vivemos num mundo mágico. Mas há uma recíproca: é o próprio mundo que às vezes se revela à consciência como mágico quando o esperávamos determinado. Com efeito, não se deve pensar que o mágico seja uma qualidade efêmera que colocamos no mundo ao sabor de nossos humores. Há uma estrutura existencial do mundo que é mágica. Sobre esse assunto não queremos nos estender aqui, reservando-nos para tratá-lo noutra parte. Mas podemos desde já fazer observar que a categoria "mágica" rege as relações interpsíquicas dos homens em sociedade e, mais precisamente, nossa percepção de outrem. O mágico, diz Alain, é "o espírito arrastando-se entre as coisas", isto é, uma síntese irracional de espontaneidade e de passividade. É uma atividade interna, uma consciência apassivada. Ora, é precisamente dessa forma que outrem nos aparece, e isto não por causa de nossa posição em relação a ele, não pelo efeito de nossas paixões, mas por necessidade de essência. De fato, a consciência só pode ser objeto transcendente ao sofrer a modificação de passividade. Voltaremos mais tarde a essas observações e esperamos mostrar que elas se impõem ao espírito. Assim o homem é sempre um feiticeiro para o homem, e o mundo social é primeiramente mágico. Não é impossível formar, do mundo interpsicológico, uma noção determinista, ou construir sobre esse mundo mágico superestruturas racionais. Mas desta vez são elas que são efêmeras e sem equilíbrio, são elas que desmoronam quando o aspecto mágico dos rostos, dos gestos, das situações humanas é demasiado forte. O que acontece, então, quando caem as superestruturas laboriosamente construídas pela razão e o homem se vê bruscamente mergulhado de novo na magia original? É fácil de adivinhar: a consciência percebe o mágico como mágico, vive-o com força, como tal. As categorias de "ambíguo", de "inquietante" etc. designam o mágico enquanto vivido pela consciência, enquanto ele solicita a consciência para vivê-lo. A passagem brusca de uma apreensão racional do mundo a uma percepção do mesmo mundo como mágico, se é motivada pelo próprio objeto e se for acompanhada de um elemento desagradável, é o horror; se for acompanhada de um elemento agradável, será a admiração (citamos esses dois exemplos, há naturalmente muitos outros casos). Assim há duas formas de emoção, conforme somos nós que constituímos a magia do mundo como sucedâneo a uma atividade determinista que não pode se realizar, ou conforme é o próprio mundo que não pode se realizar: é o próprio mundo que se revela bruscamente mágico ao redor de nós. No horror, por exemplo, percebemos a súbita derrubada das barreiras deterministas: o rosto que aparece atrás da vidraça, tomamo-lo inicialmente como pertencendo a um homem que deveria empurrar a porta e dar trinta passos para chegar até nós. Mas, ao contrário, passivo como está, ele se apresenta como agindo à distância. Para além da vidraça, está em ligação imediata com nosso corpo, vivemos e sofremos sua significação, e é com nossa própria carne que a constituímos; mas ao mesmo tempo essa significação se impõe, ela nega a distância e entra em nós. A consciência mergulhada nesse mundo mágico arrasta o corpo a ele, na medida em que o corpo é crença. Ela crê. As condutas que dão sentido à emoção não são mais as *nossas*: é a expressão do rosto, são os movimentos do corpo do outro que vêm formar um todo sintético com a perturbação de nosso organismo. Reencontramos aqui, portanto, os mesmos elementos e as mesmas estruturas que descrevíamos há pouco. Só que a magia primeira e a significação da emoção vêm do mundo, não de nós mesmos. Naturalmente, a magia como qualidade real do mundo não é estritamente limitada ao humano. Ela se estende às coisas na medida em que estas podem se apresentar como humanas (sentido inquietante de uma paisagem, de certos objetos, de um quarto que conserva o vestígio de um visitante misterioso) ou trazem a marca do psíquico. Naturalmente, também, essa distinção entre dois grandes tipos de emoção não é absolutamente rigorosa: há com frequência mistura dos dois tipos e as emoções em sua maior parte são impuras. É assim que a consciência, ao realizar por finalidade espontânea um aspecto mágico do mundo, pode criar a ocasião de se manifestar como uma qualidade mágica real. E, reciprocamente, se o mundo se apresenta como mágico de uma maneira ou de outra, pode ser que a consciência especifique e complete a constituição dessa magia, espalhando-a por toda parte, ou, ao contrário, a concentre e a reforce num único objeto.

De todo modo, convém notar que a emoção não é uma modificação acidental de um sujeito que, por sua vez, estaria mergulhado num mundo inalterado. É fácil ver que toda apreensão emocional de um objeto amedrontador, irritante, entristecedor etc. só pode ocorrer sobre o fundo de uma alteração total do mundo. Com efeito, para que um objeto apareça como *temível*, é preciso que ele se realize como presença imediata e mágica *diante da* consciência. Por exemplo, é preciso que o rosto que apareceu a dez metros de mim atrás da janela seja vivido como imediatamente presente a mim em sua ameaça. Mas isso só é possível, precisamente, num ato de consciência que destrói todas as estruturas do mundo que podem *repelir* o mágico e reduzir o acontecimento a justas proporções. Por exemplo, é preciso que a janela como "*objeto que deve primeiro ser rompido*", que os dez metros como "*distância que deve primeiro ser transposta*" sejam aniquilados. Isso não quer dizer que a consciência, em seu terror, *aproxime* o rosto, no sentido de que *reduziria* a distância desse rosto a meu corpo. Reduzir a distância é ainda pensar segundo a distância. Do mesmo modo, ainda que o sujeito amedrontado possa pensar da janela: "pode-se rompê-la facilmente, pode-se abri-la do lado de fora", serão apenas interpretações racionais que ele propõe de seu medo. Em realidade, a janela e a distância são percebidas "*ao mesmo tempo*" no ato pelo qual a consciência percebe o rosto atrás da janela. Mas, nesse ato mesmo de percebê-lo, elas são desarmadas de seu caráter de *utensílios* necessários. São percebidas de outro modo. A distância não é mais percebida como distância, porque não é mais percebida como "*o que se deve percorrer primeiro*". É percebida como *fundo* unitário do horrível. A janela não é mais percebida como "*o que deve ser aberto primeiro*". É percebida como o *quadro* do rosto terrível. E, de uma maneira geral, regiões se organizam em torno de mim *a partir das quais* o horrível se anuncia. Pois o horrível *não é possível* no mundo determinista dos utensílios. O horrível só pode aparecer num mundo tal que seus existentes sejam mágicos na natureza deles, e que os recursos possíveis contra os existentes sejam mágicos. É o que mostra bastante bem o universo do sonho, no qual portas, fechaduras, muralhas, armas não são recursos contra as ameaças do ladrão ou do animal feroz, porque são percebidas num ato unitário de horror. E, como o ato que as desarma é o mesmo que aquele que as cria, vemos os assassinos atravessar essas paredes e essas portas, pressionamos em vão o gatilho do revólver, o tiro não dispara. Em uma palavra, perceber um objeto qualquer como horrível é percebê-lo sobre o fundo de um mundo que se revela como sendo *já* horrível.

Assim a consciência pode "ser-no-mundo" de duas maneiras diferentes. O mundo pode aparecer-lhe como um complexo organizado de utensílios tais que, se quisermos produzir um efeito determinado, basta agir sobre elementos determinados do complexo. Nesse caso, cada utensílio remete a outros utensílios e à totalidade dos utensílios, não há ação absoluta nem mudança radical que se possa introduzir imediatamente nesse mundo. É preciso modificar um utensílio particular, e isto por meio de um outro utensílio que remete por sua vez a outros utensílios, e assim por diante, ao infinito. – Mas o mundo pode também aparecer à consciência como uma totalidade não utensílio, isto é, modificável sem intermediário e por grandes massas. Nesse caso, as classes do mundo agirão imediatamente sobre a consciência, elas estão presentes a ele *sem distância* (por exemplo, o rosto que nos amedronta através da vidraça age sobre nós *sem utensílios*, não é necessário que uma *janela* se abra, que um homem salte dentro do *quarto*, caminhe sobre o *soalho*). E, reciprocamente, a consciência visa a combater esses perigos ou a modificar esses objetos sem distância e sem utensílios por modificações absolutas e maciças do mundo. Esse aspecto do mundo é inteiramente coerente, é o mundo *mágico*. Chamaremos emoção uma queda brusca da consciência no mágico. Ou, se preferirem, há emoção quando o mundo dos utensílios desaparece bruscamente e o mundo mágico aparece em seu lugar. Portanto, não se deve ver na emoção uma desordem passageira do organismo e do espírito que viria perturbar *de fora* a vida psíquica. Ao contrário, trata-se do retorno da consciência à atitude mágica, uma das grandes atitudes que lhe são essenciais, com o aparecimento de um mundo correlativo, o mundo mágico. A emoção não é um acidente, é um modo de existência da consciência, uma das maneiras como ela *compreende* (no sentido heideggeriano de "*verstehen*") seu "ser-no-mundo".

Junto à emoção, uma consciência reflexiva pode sempre se dirigir. Nesse caso a emoção aparece como estrutura da consciência. Ela não é qualidade pura e indizível, como é o vermelho cor de tijolo ou a impressão pura de dor – e como ela deveria ser segundo a teoria de James. Ela tem um sentido, ela *significa alguma coisa para minha vida psíquica*. A reflexão purificadora da redução fenomenológica pode compreender a emoção na medida em que ela constitui o mundo sob forma mágica. "Acho-o detestável *porque* estou furioso." Mas essa reflexão é rara e necessita motivações especiais. Geralmente, dirigimos junto à consciência emotiva uma reflexão cúmplice que percebe, certamente, a consciência como consciência, mas enquanto motivada pelo objeto: "Estou furioso *porque ele* é detestável". É a partir dessa reflexão que a paixão vai se constituir.

Conclusão

A teoria da emoção que acabamos de esboçar destinava-se a servir de experiência para a constituição de uma psicologia fenomenológica. Naturalmente, seu caráter de *exemplo* nos impediu de dar-lhe os desdobramentos que ela devia comportar.[11] Por outro lado, como era preciso fazer tábula rasa das teorias psicológicas ordinárias da emoção, nos elevamos gradualmente das considerações psicológicas de James à ideia de significação. Uma psicologia fenomenológica segura de si, e que tivesse previamente se desembaraçado do que lhe estorva, começaria por fixar numa reflexão eidética a essência do fato psicológico que ela interroga. É o que tentamos em relação à *imagem mental* num livro que aparecerá em breve. Mas, apesar dessas ressalvas, esperamos ter podido mostrar que um fato psíquico como a emoção, ordinariamente visto como uma desordem sem lei, possui uma significação própria e não pode ser captado nele mesmo sem

---

11. Desejaríamos, especialmente desse ponto de vista, que nossas sugestões abrissem o caminho para estudos monográficos completos da alegria, da tristeza etc. Fornecemos aqui apenas as direções esquemáticas de tais monografias.

a compreensão dessa significação. Gostaríamos agora de marcar os limites dessa investigação psicológica.

Dissemos, na introdução, que a significação de um fato de consciência consistia em indicar sempre a realidade-humana total que *se fazia* emocionada, atenta, perceptiva, desejante etc. O estudo das emoções verificou claramente esse princípio: uma emoção remete ao que ela significa. E o que ela significa é, de fato, a totalidade das relações da realidade-humana com o mundo. A passagem à emoção é uma modificação total do "ser-no-mundo" segundo as leis muito particulares da magia. Mas vemos de imediato os limites de uma tal descrição: a teoria psicológica da emoção supõe uma descrição prévia da afetividade enquanto esta constitui o ser da realidade-humana, isto é, enquanto é constitutivo para *nossa* realidade-humana ser realidade-humana afetiva. Nesse caso, em vez de partir de um estudo da emoção ou das inclinações que indicaria uma realidade-humana ainda não elucidada como o termo último de toda investigação – termo ideal, aliás, e provavelmente fora de alcance para quem começa pela empiria –, a descrição do afeto se operaria *a partir* da realidade-humana descrita e fixada por uma intuição *a priori*. As diversas disciplinas da psicologia fenomenológica são *regressivas*, ainda que o termo de sua regressão seja *para elas* um puro ideal; as da fenomenologia pura, ao contrário, são progressivas. Certamente perguntarão por que convém, nessas condições, usar simultaneamente as duas disciplinas. A fenomenologia pura bastaria, ao que parece. Mas, se a fenomenologia pura pode provar que a emoção é uma realização de essência da realidade-humana enquanto *afeição*, ser-lhe-á impossível mostrar que a realidade-humana deve se manifestar necessariamente em *tais* emoções. Que haja tal e tal emoção e somente estas, é algo que manifesta certamente a *facticidade* da existência humana. É essa facticidade que torna necessário um recurso regulado à empiria; é provavelmente ela que impedirá que a regressão psicológica e a progressão fenomenológica algum dia se juntem.

Coleção L&PM POCKET

1191. **E não sobrou nenhum e outras peças** – Agatha Christie
1192. **Ansiedade** – Daniel Freeman & Jason Freeman
1193. **Garfield: pausa para o almoço** – Jim Davis
1194. **Contos do dia e da noite** – Guy de Maupassant
1195. **O melhor de Hagar 7** – Dik Browne
1196. (29).**Lou Andreas-Salomé** – Dorian Astor
1197. (30).**Pasolini** – René de Ceccatty
1198. **O caso do Hotel Bertram** – Agatha Christie
1199. **Crônicas de motel** – Sam Shepard
1200. **Pequena filosofia da paz interior** – Catherine Rambert
1201. **Os sertões** – Euclides da Cunha
1202. **Treze à mesa** – Agatha Christie
1203. **Bíblia** – John Riches
1204. **Anjos** – David Albert Jones
1205. **As tirinhas do Guri de Uruguaiana 1** – Jair Kobe
1206. **Entre aspas (vol.1)** – Fernando Eichenberg
1207. **Escrita** – Andrew Robinson
1208. **O spleen de Paris: pequenos poemas em prosa** – Charles Baudelaire
1209. **Satíricon** – Petrônio
1210. **O avarento** – Molière
1211. **Queimando na água, afogando-se na chama** – Bukowski
1212. **Miscelânea septuagenária: contos e poemas** – Bukowski
1213. **Que filosofar é aprender a morrer e outros ensaios** – Montaigne
1214. **Da amizade e outros ensaios** – Montaigne
1215. **O medo à espreita e outras histórias** – H.P. Lovecraft
1216. **A obra de arte na era de sua reprodutibilidade técnica** – Walter Benjamin
1217. **Sobre a liberdade** – John Stuart Mill
1218. **O segredo de Chimneys** – Agatha Christie
1219. **Morte na rua Hickory** – Agatha Christie
1220. **Ulisses (Mangá)** – James Joyce
1221. **Ateísmo** – Julian Baggini
1222. **Os melhores contos de Katherine Mansfield** – Katherine Mansfield
1223. (31).**Martin Luther King** – Alain Foix
1224. **Millôr Definitivo: uma antologia de *A Bíblia do Caos*** – Millôr Fernandes
1225. **O Clube das Terças-Feiras e outras histórias** – Agatha Christie
1226. **Por que sou tão sábio** – Nietzsche
1227. **Sobre a mentira** – Platão
1228. **Sobre a leitura *seguido do* Depoimento de Céleste Albaret** – Proust
1229. **O homem do terno marrom** – Agatha Christie
1230. (32).**Jimi Hendrix** – Franck Médioni
1231. **Amor e amizade e outras histórias** – Jane Austen
1232. **Lady Susan, Os Watson e Sanditon** – Jane Austen
1233. **Uma breve história da ciência** – William Bynum
1234. **Macunaíma: o herói sem nenhum caráter** – Mário de Andrade
1235. **A máquina do tempo** – H.G. Wells
1236. **O homem invisível** – H.G. Wells
1237. **Os 36 estratagemas: manual secreto da arte da guerra** – Anônimo
1238. **A mina de ouro e outras histórias** – Agatha Christie
1239. **Pic** – Jack Kerouac
1240. **O habitante da escuridão e outros contos** – H.P. Lovecraft
1241. **O chamado de Cthulhu e outros contos** – H.P. Lovecraft
1242. **O melhor de Meu reino por um cavalo!** – Edição de Ivan Pinheiro Machado
1243. **A guerra dos mundos** – H.G. Wells
1244. **O caso da criada perfeita e outras histórias** – Agatha Christie
1245. **Morte por afogamento e outras histórias** – Agatha Christie
1246. **Assassinato no Comitê Central** – Manuel Vázquez Montalbán
1247. **O papai é pop** – Marcos Piangers
1248. **O papai é pop 2** – Marcos Piangers
1249. **A mamãe é rock** – Ana Cardoso
1250. **Paris boêmia** – Dan Franck
1251. **Paris libertária** – Dan Franck
1252. **Paris ocupada** – Dan Franck
1253. **Uma anedota infame** – Dostoiévski
1254. **O último dia de um condenado** – Victor Hugo
1255. **Nem só de caviar vive o homem** – J.M. Simmel
1256. **Amanhã é outro dia** – J.M. Simmel
1257. **Mulherzinhas** – Louisa May Alcott
1258. **Reforma Protestante** – Peter Marshall
1259. **História econômica global** – Robert C. Allen
1260. (33).**Che Guevara** – Alain Foix
1261. **Câncer** – Nicholas James
1262. **Akhenaton** – Agatha Christie
1263. **Aforismos para a sabedoria de vida** – Arthur Schopenhauer
1264. **Uma história do mundo** – David Coimbra
1265. **Ame e não sofra** – Walter Riso
1266. **Desapegue-se!** – Walter Riso
1267. **Os Sousa: Uma família do barulho** – Mauricio de Sousa
1268. **Nico Demo: O rei da travessura** – Mauricio de Sousa
1269. **Testemunha de acusação e outras peças** – Agatha Christie
1270. (34).**Dostoiévski** – Virgil Tanase
1271. **O melhor de Hagar 8** – Dik Browne
1272. **O melhor de Hagar 9** – Dik Browne
1273. **O melhor de Hagar 10** – Dik e Chris Browne
1274. **Considerações sobre o governo representativo** – John Stuart Mill

1275. **O homem Moisés e a religião monoteísta** – Freud
1276. **Inibição, sintoma e medo** – Freud
1277. **Além do princípio de prazer** – Freud
1278. **O direito de dizer não!** – Walter Riso
1279. **A arte de ser flexível** – Walter Riso
1280. **Casados e descasados** – August Strindberg
1281. **Da Terra à Lua** – Júlio Verne
1282. **Minhas galerias e meus pintores** – Kahnweiler
1283. **A arte do romance** – Virginia Woolf
1284. **Teatro completo v. 1: As aves da noite** *seguido de* **O visitante** – Hilda Hilst
1285. **Teatro completo v. 2: O verdugo** *seguido de* **A morte do patriarca** – Hilda Hilst
1286. **Teatro completo v. 3: O rato no muro** *seguido de* **Auto da barca de Camiri** – Hilda Hilst
1287. **Teatro completo v. 4: A empresa** *seguido de* **O novo sistema** – Hilda Hilst
1289. **Fora de mim** – Martha Medeiros
1290. **Divã** – Martha Medeiros
1291. **Sobre a genealogia da moral: um escrito polêmico** – Nietzsche
1292. **A consciência de Zeno** – Italo Svevo
1293. **Células-tronco** – Jonathan Slack
1294. **O fim do ciúme e outros contos** – Proust
1295. **A jangada** – Júlio Verne
1296. **A ilha do dr. Moreau** – H.G. Wells
1297. **Ninho de fidalgos** – Ivan Turguêniev
1298. **Jane Eyre** – Charlotte Brontë
1299. **Sobre gatos** – Bukowski
1300. **Sobre o amor** – Bukowski
1301. **Escrever para não enlouquecer** – Bukowski
1302. **222 receitas** – J. A. Pinheiro Machado
1303. **Reinações de Narizinho** – Monteiro Lobato
1304. **O Saci** – Monteiro Lobato
1305. **Memórias da Emília** – Monteiro Lobato
1306. **O Picapau Amarelo** – Monteiro Lobato
1307. **A reforma da Natureza** – Monteiro Lobato
1308. **Fábulas** *seguido de* **Histórias diversas** – Monteiro Lobato
1309. **Aventuras de Hans Staden** – Monteiro Lobato
1310. **Peter Pan** – Monteiro Lobato
1311. **Dom Quixote das crianças** – Monteiro Lobato
1312. **O Minotauro** – Monteiro Lobato
1313. **Um quarto só seu** – Virginia Woolf
1314. **Sonetos** – Shakespeare
1315. (35). **Thoreau** – Marie Berthoumieu e Laura El Makki
1316. **Teoria da arte** – Cynthia Freeland
1317. **A arte da prudência** – Baltasar Gracián
1318. **O louco** *seguido de* **Areia e espuma** – Khalil Gibran
1319. **O profeta** *seguido de* **O jardim do profeta** – Khalil Gibran
1320. **Jesus, o Filho do Homem** – Khalil Gibran
1321. **A luta** – Norman Mailer
1322. **Sobre o sofrimento do mundo e outros ensaios** – Schopenhauer
1323. **Epidemiologia** – Rodolfo Sacacci
1324. **Japão moderno** – Christopher Goto-Jones
1325. **A arte da meditação** – Matthieu Ricard
1326. **O adversário secreto** – Agatha Christie
1327. **Pollyanna** – Eleanor H. Porter
1328. **Espelhos** – Eduardo Galeano
1329. **A Vênus das peles** – Sacher-Masoch
1330. **O 18 de brumário de Luís Bonaparte** – Karl Marx
1331. **Um jogo para os vivos** – Patricia Highsmith
1332. **A tristeza pode esperar** – J.J. Camargo
1333. **Vinte poemas de amor e uma canção desesperada** – Pablo Neruda
1334. **Judaísmo** – Norman Solomon
1335. **Esquizofrenia** – Christopher Frith & Eve Johnstone
1336. **Seis personagens em busca de um autor** – Luigi Pirandello
1337. **A Fazenda dos Animais** – George Orwell
1338. **1984** – George Orwell
1339. **Ubu Rei** – Alfred Jarry
1340. **Sobre bêbados e bebidas** – Bukowski
1341. **Tempestade para os vivos e para os mortos** – Bukowski
1342. **Complicado** – Natsume Ono
1343. **Sobre o livre-arbítrio** – Schopenhauer
1344. **Uma breve história da literatura** – John Sutherland
1345. **Você fica tão sozinho às vezes que até faz sentido** – Bukowski
1346. **Um apartamento em Paris** – Guillaume Musso
1347. **Receitas fáceis e saborosas** – José Antonio Pinheiro Machado
1348. **Por que engordamos** – Gary Taubes
1349. **A fabulosa história do hospital** – Jean-Noël Fabiani
1350. **Voo noturno** *seguido de* **Terra dos homens** – Antoine de Saint-Exupéry
1351. **Doutor Sax** – Jack Kerouac
1352. **O livro do Tao e da virtude** – Lao-Tsé
1353. **Pista negra** – Antonio Manzini
1354. **A chave de vidro** – Dashiell Hammett
1355. **Martin Eden** – Jack London
1356. **Já te disse adeus, e agora, como te esqueço?** – Walter Riso
1357. **A viagem do descobrimento** – Eduardo Bueno
1358. **Náufragos, traficantes e degredados** – Eduardo Bueno
1359. **Retrato do Brasil** – Paulo Prado
1360. **Maravilhosamente imperfeito, escandalosamente feliz** – Walter Riso
1361. **É...** – Millôr Fernandes
1362. **Duas tábuas e uma paixão** – Millôr Fernandes
1363. **Selma e Sinatra** – Martha Medeiros
1364. **Tudo que eu queria te dizer** – Martha Medeiros
1365. **Várias histórias** – Machado de Assis
1366. **A sabedoria do Padre Brown** – G. K. Chesterton
1367. **Capitães do Brasil** – Eduardo Bueno
1368. **O falcão maltês** – Dashiell Hammett
1369. **A arte de estar com a razão** – Arthur Schopenhauer
1370. **A visão dos vencidos** – Miguel León-Portilla

lepmeditores
www.lpm.com.br
o site que conta tudo

IMPRESSÃO:

PALLOTTI
GRÁFICA

Santa Maria - RS | Fone: (55) 3220.4500
www.graficapallotti.com.br